COLLECTION FOLIO

Jean Anouilh

Pauvre Bitos

ou

le dîner de têtes

La Table Ronde

PERSONNAGES

BITOS, *qui joue Robespierre.*
MAXIME, *qui joue Saint-Just.*
JULIEN, *qui joue Danton.*
BRASSAC, *qui joue Tallien.*
VULTURNE, *qui joue Mirabeau.*
PHILIPPE, *qui joue le Père jésuite.*

DESCHAMPS, *qui joue Camille Desmoulins.*
FRANZ DELANOUE.

VICTOIRE, *qui joue Lucile Desmoulins.*
AMANDA, *qui joue Mme Tallien.*
LILA.

CHARLES, *valet de chambre de Maxime.*
JOSEPH, *cuisinier.*

ACTE PREMIER

Une immense salle voûtée et complètement nue. Un escalier de pierre au fond qui monte on ne sait où, vers une porte donnant sur la rue.

Au premier plan, une grande table sur des tréteaux avec un couvert mis pour plusieurs personnes. Maxime, en smoking, tête de conventionnel, un flambeau allumé à la main, fait visiter la salle à Philippe en tenue de voyage.

MAXIME

Voici la salle. Ce sont les restes de l'ancien prieuré des Carmes. La société locale des Jacobins y tenait ses réunions en 92. En 93, on y a mis le Tribunal Révolutionnaire. Mes parents s'étaient fâchés avec l'oncle Anthelme pour une question de préséance à mon baptême. C'est un homme que je n'avais jamais vu. Un beau matin de l'hiver dernier, il meurt et me lègue cette vénérable baraque.

PHILIPPE

Qu'est-ce que tu vas en faire?

MAXIME, *nettement.*

La vendre. Je signe la semaine prochaine avec la Shell. Oui, mon cher, un garage. Ultra moderne. Tout au néon. Avec des pompes rutilantes comme des idoles. On va joyeusement couler du ciment là-dedans. Cela apprendra à mes ancêtres à s'être laissé guillotiner comme des moutons. J'ai horreur de ces histoires d'aristocrates qui montaient à l'échafaud en souriant de mépris. S'ils s'étaient tous barricadés ici et qu'ils y soient morts en se défendant comme des hommes, j'aurais conservé le bâtiment. Et je serais venu y déposer des petits bouquets à dates fixes : je suis un sentimental. Mais puisqu'ils y ont bien poliment écouté leur sentence de mort : un garage!

PHILIPPE

C'est dommage, c'était beau.

MAXIME

C'est bien fait, ça leur apprendra! Et, d'ailleurs, avec le néon, cela sera encore plus beau. Seulement, comme les occasions de s'amuser sont rares en province, j'ai décidé, puisque je l'héritais, d'y pendre tout de même la crémaillère avant de vendre. Tu es gentil d'être arrivé à temps pour être de notre petite fête de ce soir.

PHILIPPE *grommelle.*

Un dîner de têtes! Ça ne se fait plus. Cela va être sinistre.

MAXIME *sourit.*

J'y compte bien.

Philippe le regarde surpris.

PHILIPPE

Tu es rassurant.

MAXIME *lui prend le bras.*

Autant que tu sois dans le secret tout de suite. Je suis en train d'ourdir une vaste machination pour perdre un petit jeune homme qui m'agace. Voilà le vrai motif de la fête de ce soir. Tu te souviens de Bitos chez les Pères?

PHILIPPE

Bitos?

MAXIME

Ce petit boursier cafard qui était toujours premier. *(Il récite :)* Version latine, prix d'excellence : Bitos. Thème grec, prix d'excellence : Bitos. Mathématiques, prix d'excellence : Bitos. C'était la grande plaisanterie de fin d'année, nous gueulions tous en chœur le résultat prévu d'avance, désespérant les bons Pères qui menaçaient chaque fois de nous jeter dehors. Ils s'en gardaient, bien entendu. Avec leur seul petit boursier, ces saints hommes n'auraient jamais couvert leurs frais.

PHILIPPE

Ah! j'y suis. Celui qu'on appelait l'« affreux Bitos ». Qu'est-il devenu?

MAXIME

Substitut, mon cher. Un beau matin, après la Libération, alors que nous l'avions tous oublié, il nous débarque substitut. C'était la vengeance, tu comprends, le coup de théâtre, le dénouement absolument inattendu. La croix de ma mère, tout! Il avait tant souffert de nos sinistres plaisanteries. Nous le lui avions assez fait sentir qu'il était le fils d'une blanchisseuse. Substitut du Procureur de la République! Pour peu qu'avec nos mœurs décadentes nous nous laissions aller à tremper dans quelque vilaine histoire, il allait pouvoir nous broyer dans son gant de fer. La vengeance descendant du car de Clermont-Ferrand et un jour de marché, encore, au milieu des veaux, avec des gants de laine grise et une petite valise de curé bourrée de principes. Les grands jours d'Auvergne, quoi!

PHILIPPE

Il fait du zèle?

MAXIME

C'est peu dire. Il se croit Robespierre. La Justice immanente est en marche et c'est lui. La rigueur et la vertu du peuple sont dans nos murs. Notre petite ville pourrie n'a qu'à bien se tenir. Il se promène avec son fer rouge, dans la serviette façon veau qui ne le quitte jamais; il nous marquera tous. Nous n'y couperons pas.

PHILIPPE

Et on le reçoit?

MAXIME

Célibataire et un bel avenir de magistrat. Il faut excuser la petite-bourgeoisie, elle a des filles.

PHILIPPE

Et les autres?

MAXIME

C'est devenu une mode de l'attirer chez soi pour le faire pérorer. Le vertige du jacobinisme. C'est connu. Et puis une relation qui peut être utile un jour ou l'autre, on ne sait jamais. Notre classe a toujours eu un fort contingent d'imbéciles; je ne te l'apprends pas. Chez nos femmes particulièrement, un des curieux effets de la ménopause a toujours été le snobisme des partis avancés. Ma tante Louise ne jure plus que par lui.

PHILIPPE

La duchesse?

MAXIME

Tu tombes de la lune, mon bon. Nous allons beaucoup plus vite qu'à Paris dans la région. Tante Louise fait partie de toutes sortes de mouvements progressistes. Cela ne lui coûte pas plus cher que ses anciennes bonnes œuvres et cela lui procure de tout autres émotions. Elle a toujours un appel pour quelque chose à vous faire signer dans son réticule. Avant, c'était les petits Chinois; elle a trouvé une autre façon d'être assommante, voilà tout. Naturellement, je ne l'ai pas invitée. Ce soir, il fallait que tout le monde joue le jeu.

PHILIPPE

Quel jeu?

MAXIME

J'y arrive. Tu as vu mon jabot, ma perruque. Ai-je l'air assez fatal? Je me suis fait la tête de Saint-Just. Le plus drôle est qu'il paraît que c'est ressemblant. Ce soir, nous sommes en 93. Tous nos amis se sont fait des têtes d'époque et chacun a étudié son personnage. Et attention, défense de parler d'autre chose! Il faut être très documenté sur la question. Un malheureux comme Julien, qui n'avait jamais pu réussir la première partie de son bachot, pioche son Isaac et Malet depuis quinze jours. Je l'ai fait réciter hier soir, il est imbattable sur les lois de prairial... Si cet imbécile s'était donné à l'époque la moitié du mal qu'il vient de se donner pour mon petit canular, il aurait été reçu à Saint-Cyr, et son pauvre père n'en serait pas mort de douleur. Comme c'est curieux, la vie!

PHILIPPE

Mais, dis-moi, on va s'ennuyer à périr à ta petite fête historique.

MAXIME *sourit méchamment.*

Non. Parce que la course comporte une mise à mort, ce qui est toujours distrayant. J'ai persuadé Bitos de se faire la tête de Robespierre, et ce choix m'a amené à lui réserver une autre surprise que je garde pour le dessert. Patience, mon petit Philippe, tu ne regretteras pas d'en avoir été!

PHILIPPE

Tu sais que j'ai toujours été sec en histoire. Je ne sais pas si je suis bien qualifié au pied levé.

MAXIME

Mon cher, je t'ai gardé Louis XVI. Tu as le profil et c'est un rôle quasiment muet dans cette troupe de grands bavards. Au moment de ta mort, quand tu vas enfin parler, un roulement de tambour providentiel couvre ta voix. En somme, tu n'as qu'une réplique : « C'est une révolte?... Non, Sire, c'est une révolution. » Tu te rappelleras? Viens, j'ai organisé une sorte de loge avec des fards et un choix de perruques. Nous allons te peinturlurer.

PHILIPPE

Et tu crois que le fait de faire parler Bitos, déguisé en Robespierre, suffira à égayer ta petite surprise-partie?

MAXIME

C'est un garçon, j'en ai fait l'expérience, qui ne tient pas l'alcool. Et c'est un bien grand mot et je déteste les grands mots, mais c'est un fait : je le hais. Il ne sortira pas vivant de ce que tu appelles ma petite « surprise-partie ». *(Il répète, soudain étrange, levant un doigt avec un sourire :)* Pas vivant. *(Entre Charles, le valet de chambre, veste blanche et tête d'époque.)* Charles que tu connais, mais que tu ne reconnais peut-être pas.

CHARLES

Monsieur le baron.

MAXIME

Il s'est fait, lui aussi, tu vois une tête d'époque. Laissons-le achever de mettre le couvert. Nos amis seront là dans cinq minutes, je leur ai demandé à tous d'être là avant le cobaye.

PHILIPPE

Et si le cobaye se méfiait de quelque chose et ne venait pas?

MAXIME, *l'entraînant.*

Cette race d'hommes est beaucoup trop sûre d'elle-même pour se méfier jamais de rien. Je l'ai convoqué pour neuf heures, à neuf heures moins une, car cette race d'hommes est toujours en avance, il sera là.

Ils sont sortis, Charles commence à allumer les candélabres de la table. On frappe. Il monte ouvrir la porte en haut de l'escalier de pierre. Deux jeunes femmes et un jeune homme avec des têtes d'époque, paraissent en haut des marches.

LILA

Bonsoir, Charles. Sommes-nous belles?

CHARLES

Merveilleuses, mesdames. Monsieur Maxime va être content.

LILA, *qui est en Marie-Antoinette chapeautée d'une façon extravagante.*

Je me suis donné un mal fou! Ma petite pièce montée est un chef-d'œuvre. Mais elle ne tiendra certainement pas sur ma tête jusqu'au dessert.

JULIEN, *jeune homme à tête de Danton.*

Détail sans importance, ma bonne, votre rôle est relativement court. On vous la coupe avant.

LILA, *qui regarde autour d'elle.*

Maxime a des inventions impossibles! Quelle idée d'inviter les gens à dîner dans une cave!

JULIEN

Je me suis rarement ennuyé à une fête organisée par

Maxime. Il a un sens du théâtre étonnant. *(Il regarde Charles qui rentre.)* Mais, ma parole, Charles en est!

CHARLES, *souriant un peu gêné.*

Une fantaisie de monsieur Maxime, mesdames. Il m'a dit que je pourrais être utile le moment venu.

AMANDA

J'ai peur que ce que veut nous faire faire Maxime ne soit ni très charitable ni très joli.

JULIEN

Mon amour, ce soir, nous sommes là pour rire. La charité, ce sera pour demain matin, en sortant de la grand-messe. Je vous promets de vider mes poches aux quatre fripouilles que je vois sur le parvis à la même place depuis vingt ans. Mais pour ce soir laissons la charité dormir. C'est une déesse qui a besoin de sommeil de temps en temps.

Vulturne paraît en haut de l'escalier, tête de Mirabeau.

VULTURNE

Excusez-moi, la porte était entrouverte. Pour la conspiration, c'est bien ici?... *(Il demande.)* Marie-Antoinette, si mes souvenirs sont exacts?...

LILA

Le comte de Mirabeau?

VULTURNE *salue comiquement.*

Merci, Majesté! Je craignais qu'on doute. C'est pourquoi j'ai été très généreux sur les marques de petite vérole. Aimez-vous cela? J'en ai mis partout. Comme il faut s'en donner du mal pour s'amuser! Et dire qu'il y a des gens qui nous prennent pour des oisifs. *(A Amanda.)* Bonsoir, Amanda. Dieu qu'elle est jolie! En quoi est-elle au juste?

AMANDA *récite drôlement, comme une écolière.*

Thérésa Cabarrus, dite Notre-Dame de Thermidor, ci-devant marquise de Fontenay, qui avait épousé le conventionnel Tallien à Bordeaux et qui devait finir à Bruxelles, princesse de Caraman-Chimay. C'est à cause d'elle que Tallien précipita les choses le 8 thermidor avec Robespierre. Elle était arrêtée, elle allait passer devant le tribunal le lendemain, elle écrivit à Tallien. « Je meurs d'appartenir à un lâche. » Fou de douleur, Tallien se précipita pour acheter un poignard. Mais il n'eut pas à s'en servir. Tout se passa en paroles, comme d'habitude. *(Elle leur confie.)* Il paraît qu'ils ont eu Robespierre avec une sonnette.

VULTURNE

Président d'assassins! Je te demande la parole. Drelin, drelin, drelin, drelin! Il me tarde d'entendre le petit Bitos nous crier ça.

JULIEN

Merveilleuse, la petite vérole, Vulturne. Ma parole, on l'attraperait! Franchement, vous croyez que je ressemble à Danton? J'ai l'impression qu'il n'avait pas du tout cette tête-là. Maxime m'a choisi pour ce rôle uniquement parce que j'ai passé ma jeunesse à botter le derrière de Bitos aux récréations. Il m'a dit que ce souvenir aiderait beaucoup à créer l'atmosphère.

BRASSAC *paraît, tête de Tallien emplumée.*

Bonsoir! Tout le Musée Grévin est là?

LILA, *à Brassac.*

En quoi êtes-vous, Brassac? On voit très bien aux plumes que vous êtes en quelque chose mais ce n'est pas très frappant.

BRASSAC

En Tallien. Rôle excellent pour un dîner de têtes.

Personne ne connaît au juste son visage. Oui, les pourris, les vendus, c'est moi, ma chère; au milieu de ce troupeau de grands idéalistes.

LILA

Quel vilain rôle. Vous n'avez pas honte?

BRASSAC

Non. Car vous leur devez tous une fière chandelle aux vendus. En 94, comprenant qu'ils allaient perdre aussi leur tête et du même coup les biens considérables qu'ils avaient amassés depuis 89, c'est eux qui se décidèrent enfin à mettre un terme à la terreur et à culbuter Robespierre... Ils avaient simplement songé à défendre leur peau et leurs gros sous; ils furent les premiers surpris d'apprendre en sortant de l'Assemblée, aux acclamations du peuple, qu'ils venaient de sauver la France. Rassurez-vous, le premier instant de surprise passé, ils reprirent immédiatement leurs transactions.

AMANDA

Parce qu'on faisait fortune pendant la révolution? Je croyais qu'on avait tout donné au peuple.

Brassac l'attire à lui et lui embrasse familièrement le cou.

BRASSAC

Qu'elle est gentille, la petite Amanda! Elle en est encore aux histoires en images. Mais mon petit oiseau on n'a jamais tant fait fortune que du jour où on s'est mis à s'occuper du peuple. C'est devenu une véritable industrie. La Révolution était née en partie de l'indignation contre les hommes d'argent qu'on accusait de trafiquer sur les blés; ils se sont dépêchés de s'en mettre en criant plus fort que les autres et d'en tirer tous les bénéfices possibles... Pour qui les prenez-vous? Pour des gens butés? Et puis, quand ils ont senti que l'affaire devenait moins bonne, ils l'ont liquidée, tout simplement.

LILA

Bitos va être hors de lui de vous voir là!

BRASSAC

J'y compte bien. Ce qui m'étonne c'est qu'il ait accepté de dîner avec le Capital. *(Il salue comiquement.)* « C » majuscule. J'y ai droit! Je suis sur la fausse liste des deux cents familles. La vraie, pas si bête, personne ne la connaît. Enfin! Nous étions au même collège! Et c'est lui qui s'est révélé un ambitieux. Je me suis contenté de reprendre les nombreuses usines de papa. Lui n'a pas daigné continuer le fonds de blanchisserie de sa mère. Il s'est fait substitut, pour faire la lessive en plus grand.

JULIEN

Vous savez la dernière histoire de Bitos?

LILA

Celle de l'appartement qu'il a fait réquisitionner pour sa sœur le même jour qu'il demandait la tête du locataire pour faits de collaboration? C'était magnifique. On ne savait plus s'il plaidait pour avoir la tête ou l'appartement.

JULIEN

Non. Celle de l'ami d'enfance qu'il a fait condamner dans un sursaut de vertu? J'en sais les détails par l'avocat qui plaidait contre lui dans cette affaire et qui est un de mes amis. Bitos avait obtenu la tête d'un petit milicien arrêté assez longtemps après la Libération. Il se trouvait que ce garçon avait été au catéchisme avec lui et qu'ils avaient continué à sympathiser et à se voir jusqu'à la guerre. Cela se passait il y a trois ans. Oubli, remises, hésitations, paperasseries, que sais-je? Toujours est-il que notre régime humanitaire a gardé ce garçon dans la cellule des condamnés à mort, les fers aux jambes, pendant trois ans, à guetter le petit matin. La semaine dernière, on y repense et on se décide tout de même à l'exécuter, sans plus de raisons d'ailleurs. Visite de la femme du malheureux, en larmes, accompagnée de sa petite fille. Bitos de plus en plus romain, souffre avec elle — et sincèrement je le crois — mais ne cède pas. D'ailleurs, il n'y pouvait plus rien. Il est, bien entendu, du petit voyage matinal pour voir trouer la peau de son petit communiant, se demandant s'il vomira ou non son café crème. L'autre, qui ne sait plus où il en est depuis le temps et qui se raccroche à la grandeur pour soutenir le ton de cette dernière minute, demande à serrer la main de Bitos avant de se mettre devant le poteau. Pardon réciproque. On lui laisse crier bien gentiment : « Vive la France » et « Feu », lui-même — on lui devait bien ça — et, quoique la politique ait entre-temps sérieusement évolué dans le sens des idées du petit milicien, on lui troue bien proprement le ventre et les poumons, avec quelque dix ans de retard. Bitos est tout pâle. Mon ami qui l'observe croit qu'il va dire quelque chose. Le coup de grâce tiré, il prend sa montre et dit simplement : « Nous avons respecté l'horaire. » Un chef de gare! Le sous-officier corse qui en avait vu bien d'autres depuis 1944 n'en revenait pas lui-même. Le soir, Bitos se fendait et envoyait une poupée à la petite — en remplacement, sans doute. Une poupée très chère. C'est là que c'est beau, Bitos est pauvre. Plus de la moitié de son mois de magistrat. Une poupée qui fermait les yeux, disait papa et maman et faisait pipi. C'était d'ailleurs une poupée allemande car, si on exécutait encore, le commerce, lui, avait repris.

LILA

Décidément, mon petit Julien, vous avez juré de nous couper l'appétit. Comment voulez-vous que nous dînions avec Bitos après ce que vous venez de nous raconter?

JULIEN *a un geste.*

Bah! ma chère. S'il fallait avoir de l'estime pour tous les gens avec qui on dîne, il n'y aurait plus de réunions mondaines possibles... Et d'ailleurs, Bitos n'est pas un assassin, c'est un magistrat, il ne faisait, en principe, que son devoir.

Un jeune homme paraît en haut des marches, costume sombre, tête d'époque, l'air un peu gêné.

LE JEUNE HOMME

Je vous demande pardon... La porte était entrouverte.

LILA, *à mi-voix.*

Décidément, la composition de ce dîner nous réserve des surprises. Qui est-ce?

JULIEN, *à mi-voix aussi regardant descendre le jeune homme.*

Je ne connais pas.

LE JEUNE HOMME

Permettez-moi de me présenter : Marcel Deschamps. J'ai été invité, ce soir, par monsieur Maxime de Jaucourt?

BRASSAC *va à lui.*

Excusez Maxime, monsieur; les préparatifs de cette petite fête le retiennent vraisemblablement dans les coulisses. Nous ne l'avons pas encore vu. *(Il se présente.)* Brassac. Je vais vous nommer à nos amis. Monsieur Deschamps : la comtesse de Preuil, mademoiselle Amanda Forrest, Julien du Bief.

VULTURNE, *se présentant.*

Verdreuil.

LE JEUNE HOMME, *surpris.*

Vous êtes monsieur le comte de Verdreuil?

VULTURNE

Oui.

LE JEUNE HOMME

Alors, monsieur, je ne suis pas tout à fait inconnu de vous. Je suis l'instituteur de l'école communale de Bréville.

VULTURNE

Vraiment? Je suis enchanté de vous connaître; vous avez les deux garçons de mon garde chez vous. Leur père m'a dit que depuis que vous étiez là, il ne les reconnaissait plus. C'est sans doute pour ça qu'il ne les rosse plus tous les soirs, en hurlant dans la cuisine, à l'heure des devoirs.

LE JEUNE HOMME *sourit.*

Ce sont de bons garçons qui se sont mis à travailler sérieusement. Il suffisait de savoir les prendre.

VULTURNE *s'incline, charmant.*

Et je vois que vous avez su. *(Il demande :)* Vous êtes un ami de Maxime?

LE JEUNE HOMME, *un peu embarrassé.*

Je n'avais pas l'honneur de connaître monsieur de Jaucourt. Il est venu me trouver il y a quinze jours et il m'a dit qu'il souhaitait m'inviter à cette petite fête. Peut-être, parce qu'il supposait que je sais un peu d'histoire. Il m'a demandé de me faire la tête de Camille Desmoulins. J'ai fait de mon mieux.

LILA, *bas à Julien.*

Ce dîner est de plus en plus mystérieux. Je le retiens, votre Maxime, il a dû inviter mon concierge.

JULIEN

Croyez que s'il a eu besoin de lui pour un rôle, il

l'a fait. Rien de ce qui vous étonnera, ce soir, n'est laissé au hasard. Maxime est un homme de ténèbres.

MAXIME *entre rapidement.*

Vous êtes tous là? Comment m'excuser? Je manque à tous mes devoirs, mais j'étais en train de grimer notre gros Philippe qui vient de me tomber dessus, en Louis XVI. Monsieur Deschamps, on vous a présenté?

DESCHAMPS

Je me suis présenté moi-même, monsieur...

MAXIME

Vous savez que c'est là votre instituteur à Bréville, Verdreuil?

VULTURNE

Il m'a dit ça.

MAXIME

Monsieur Deschamps, vous avez beaucoup connu André Bitos, je crois.

DESCHAMPS, *surpris, sur la réserve.*

Beaucoup, oui. Surtout quand j'étais enfant.

MAXIME

Je tiens à vous dire tout de suite qu'il va être des nôtres ce soir. Y voyez-vous un inconvénient?

DESCHAMPS

Non, mais je ne pense pas qu'André Bitos soit très heureux de me revoir.

MAXIME

Je ne le pense pas non plus. Mais je ne vous cacherai pas que c'est surtout pour cette raison que je vous ai invité. *(Charles traverse du vestiaire à l'office. Il attend qu'il soit passé et dit :)* Rire aux dépens de

Bitos et même arriver à le bousculer un peu si c'est possible. Voilà notre propos de ce soir. Êtes-vous des nôtres?

DESCHAMPS

Pourquoi pas, monsieur?

MAXIME *continue.*

André Bitos a choisi de se faire la tête de Robespierre, et je vous ai demandé de vous faire la tête de Camille Desmoulins. Étant donné ce qui s'est passé entre vous — et qui reste votre secret, rassurez-vous — voyez-vous quelque chose qui vous gêne dans ce rapprochement? Dans ce cas, il serait préférable de me le dire tout de suite. Je ne veux pas vous entraîner à votre insu dans un guet-apens historique...

DESCHAMPS

Je ne vois pas ce qui pourrait me gêner, monsieur. Au contraire, je suis ravi de l'occasion que vous me donnez de redire à André Bitos sous le masque de Camille ce que je pense de lui.

MAXIME *sourit.*

Sous le masque de Camille... Je vois que nous nous sommes compris. *(Il leur sert du whisky, leur expliquant :)* Je vous demande à tous de prendre vos rôles au sérieux, n'est-ce pas, et de ne contrer Bitos qu'avec des arguments historiques. Surtout pas d'allusions personnelles, elles gâcheraient tout.

JULIEN, *qui consulte nerveusement son petit livre.*

C'est précisément au point de vue historique que je me demande si nous allons être à la hauteur.

MAXIME

Rassure-toi, ce qui va bien nous faciliter les choses, c'est que ces gens-là ont surtout parlé. Le problème au cours de cette épopée était de tenir le crachoir de ce dernier. La moindre interruption était fatale.

Quand on vous coupait la parole, on vous coupait également la tête. On l'a bien vu le 9 thermidor. Comment croyez-vous qu'on ait eu Robespierre? En faisant assez de bruit pour couvrir sa voix. Du moment qu'il n'avait pas pu parler, il était mort. Vive la démocratie qui nous a donné le verbe!

JULIEN

Mais, au fait, l'as-tu la sonnette?

MAXIME

Tu penses, l'arme du crime! Elle est là, sur la table et le battant tient bon, je l'ai vérifié. *(Il l'agite. Charles paraît aussitôt.)* Ce n'est rien, Charles, un essai. Mais j'ai mieux encore, maintenant je peux vous le confier. Le clou de la soirée, le Deus ex machina sans lequel nous ne pourrions pas mener à bien la pièce : le gendarme Merda, l'angélique petit gendarme Merda qui n'a rien compris à l'histoire qui a été tout droit à l'Hôtel de Ville avec trois hommes, au milieu de cent cinquante conjurés, qui a demandé bien poliment lequel était Robespierre et qui lui a tout simplement tiré dessus. C'était bête comme tout, mais il fallait y penser.

AMANDA *bat des mains, ravie de sa science.*

Mais c'est vrai, j'ai appris ça aussi hier soir, c'est passionnant comme une série noire! Qui fera Merda?

MAXIME

Un très beau jeune homme, mon ange, qui n'arrivera qu'au moment du dessert.

LILA

Qui est-ce? Nous le connaissons?

MAXIME

Je ne crois pas.

AMANDA

Mais pourquoi ne vient-il pas plus tôt? Il était pris ce soir?

MAXIME

Non, le pauvre. C'est un garçon qui était très peu invité depuis quelque temps. Mais j'ai pensé que sa présence au début du dîner risquait d'envenimer un peu prématurément les choses.

VULTURNE *demande.*

Parce que tu comptes réellement envenimer les choses?

MAXIME *sourit méchamment.*

Sur la fin, oui. Je voudrais hausser un peu le ton de la farce... Rappelez-vous l'entrée de l'Exempt au dernier acte de Tartuffe. Ce n'est pas la meilleure scène de la pièce, elle est même franchement mauvaise, mais c'est toujours celle qui m'a fait le plus de plaisir.

AMANDA, *à Brassac.*

La dernière scène de Tartuffe, c'est celle où Célimène lui dit qu'elle ne pourra jamais l'aimer à la campagne?

BRASSAC

Non, mon ange, vous confondez avec le Misanthrope.

AMANDA

C'est vrai, suis-je bête! C'est celle où Jouvet faisait « ouf » quand il apprenait qu'Agnès était la fille de l'autre?

JULIEN, *calme.*

Non, mon amour. Ça, c'était dans l'École des Femmes.

AMANDA, *vexée.*

Alors, je n'ai pas vu le Tartuffe. Je ne devais pas être à Paris.

VULTURNE

C'est drôle, c'est toujours à cette scène que moi je perds tout plaisir au Tartuffe. Cette minute, au théâtre ou dans la vie, où la lumière change, où on se met à avoir pitié du traître et où les honnêtes gens ne sont plus qu'une meute assez ignoble autour de lui.

MAXIME, *soudain froid.*

Vulturne, il est encore temps pour vous de renoncer à ce dîner si vous craignez de pleurer sur le sort de Bitos.

VULTURNE *a un geste.*

Non. Après tout, ce n'est qu'une farce et Bitos est un homme médiocre. Et je crois que Dieu pardonnera à tout le monde, sauf aux médiocres.

MAXIME

Ne soyons donc pas plus indulgents que Dieu, mon bon Vulturne. *(On frappe.)* Charles, on frappe!... Pourvu que ce soit Victoire. J'ai absolument besoin qu'elle soit là, avant lui. Nous ne pouvons rien faire sans une Lucile Desmoulins. Sauvés! C'est elle!

Victoire paraît, elle salue gentiment tout le monde d'en haut. Bonnet de Lucile Desmoulins.

VICTOIRE

Bonsoir! Pardonnez-moi d'être la dernière. Je vais vous demander de m'excuser tous, il faut absolument que je dise un mot à Maxime.

Elle l'entraîne.

MAXIME

Qu'est-ce qui se passe?

VICTOIRE

Maxime, je ne peux pas rester ce soir.

MAXIME

Vous n'allez pas me gâcher ma fête, ma petite Victoire! J'ai absolument besoin de vous.

VICTOIRE

Vous allez comprendre tout de suite, Maxime. Il s'est passé une chose incroyable. Mon père m'en a seulement parlé au moment où j'allais partir. Bitos lui a rendu visite cet après-midi et il lui a demandé ma main.

MAXIME

Splendide! C'est splendide! Je me doutais bien que ce garçon vous faisait vaguement la cour, c'est pourquoi je vous avais demandé de vous mettre en Lucile Desmoulins... Mais je ne me doutais pas que j'avais mis dans le mille. *(Il crie comiquement aux autres :)* Je suis voyante!

VICTOIRE

Je ne sais pas ce qui a pu germer dans la tête de ce garçon. Je l'ai vu quatre fois à la maison, les quatre fois où mon père en tant que président du Tribunal a dû recevoir les membres du parquet. Il était chez moi, je lui ai parlé gentiment comme à tout le monde. Mais qu'il ait pu croire un instant que je l'avais seulement remarqué!

MAXIME *explose.*

C'est trop beau! C'est trop beau!

VICTOIRE

Vous connaissez mon père. Il lui a bondi dessus, toute barbe en avant — ça a dû être un carnage! — et il lui a opposé un refus très brutal, sans même accepter de m'en parler.

MAXIME

Merveilleux! Merveilleux! Cela atteint le sublime! Ma petite Victoire, ce que vous m'apprenez est tout simplement inespéré.

Il la fait danser de joie.

VICTOIRE *se détache.*

Maxime, ne faites pas semblant de ne pas comprendre! Vous sentez bien qu'après ce qui s'est passé cet après-midi, je ne peux pas me prêter au jeu de ce soir, ce serait trop cruel.

MAXIME

D'abord, ma petite fille, on n'est jamais trop cruel avec les imbéciles. Et puis, à moi, il me faut une Lucile Desmoulins ou tout est raté. Je ne sors pas de là.

VICTOIRE

Si, au moins, c'était moi qui lui avais dit non, mais mon père a été très dur. Ce garçon doit croire à je ne sais quelle brimade sociale. Il doit crever de honte et de dépit.

MAXIME

Qu'il crève de ce qu'il voudra, mais que ma fête ait lieu! Ma petite Victoire! Faut-il que je me mette à genoux? *(Il le fait.)* Vous qui êtes la bonté même!

VICTOIRE

Justement, je ne peux pas.

MAXIME, *avec une humeur cocasse d'enfant gâté.*

Soyez la bonté même pour moi et pas pour lui, voilà tout. *(On frappe.)* D'ailleurs, il est trop tard. Cette fois, c'est lui, et vous ne pouvez pas partir, il n'y a qu'une porte. Charles, allez ouvrir! Rajustez votre petit bonnet et soyez sans remords, Lucile Desmoulins. Mes enfants, en scène pour le un. *(Il se lève, la plantant là, et va aux autres.)* Julien, tu sais ton rôle? Les lois de prairial?

JULIEN

22 Prairial 94. Renforcement des pouvoirs du Tribunal Révolutionnaire.

MAXIME

Bravo! Dix-neuf!

LILA, *à mi-voix.*

Qu'est-ce qui se passe avec Victoire?

MAXIME

Rien. Un petit contretemps qui est une véritable bénédiction. *(Aux autres.)* Au début, je vous en prie, laissez seulement aller, et puis, dès qu'il aura un peu bu, poussez la discussion. Il s'enferrera tout seul. Prenons nos verres, s'il vous plaît, n'ayons pas l'air de l'attendre.

Bitos paraît en haut des marches, il est en Robespierre de la tête aux pieds sous son manteau noir étriqué et son melon. Quand Charles le lui prend, il apparaît en bleu ciel.

BITOS

Pardon, mesdames.

MAXIME

Mon cher Bitos, vous êtes le dernier!... Mais quel est ce costume?

BITOS, *déjà sur la défensive.*

Comment? Mais c'est une mauvaise plaisanterie? Vous êtes tous en smoking? Vous m'aviez dit que c'était déguisé.

MAXIME *éclate de rire.*

Un dîner de têtes. Vous m'avez mal compris, Bitos,

ou peut-être n'étiez-vous pas au courant de l'usage? Un dîner de têtes, cela n'a rien à voir avec un bal costumé! On ne se fait que la tête, voyons!

Tout le monde rit de la mine effarée de Bitos.

BITOS, *atterré.*

Je m'excuse, je suis ridicule. Je vais aller me changer.

MAXIME

N'en faites rien. Vous nous feriez dîner à une heure impossible. Restez comme ça. Nous croirons d'autant plus à votre personnage. D'ailleurs, l'azur vous va à ravir. Je suis certain que ces dames seront enchantées de vous avoir en bleu! Attention, mes amis! A partir de cet instant, le jeu commence. N'oublions pas que nous ne sommes plus nous. Vous connaissez presque tout le monde? Permettez que je vous présente. C'est très gentil, ces têtes que l'on se fait le mieux possible, mais cela peut tout de même prêter à confusion. Sa Majesté, notre reine. La belle Madame Tallien. Une jeune femme tendre et pure que vous avez beaucoup aimée, je crois : Lucile Desmoulins. Le comte de Mirabeau. Vos bons amis, Danton et Camille. Tallien, que je crois que vous n'aimiez pas. J'ai demandé à Brassac, il nous fallait quelqu'un de vraiment riche, n'est-ce pas? Est-ce que j'en oublie? Ah! oui, bien sûr! On l'oublie toujours, le pauvre, et on l'empêche toujours de parler. Messieurs, le Roi!

Philippe est entré, salué par des exclamations, les femmes s'abîment dans des révérences par jeu, sur son passage.

PHILIPPE

Je ne sais pas si c'est très ressemblant. En tout cas, j'ai mis de la poudre tant que j'ai pu.

MAXIME

On va te la couper si vite! Saluez, Bitos! Et poliment. Quels que soient vos sentiments actuels, n'oubliez pas qu'en 92 vous étiez encore monarchiste.

BITOS, *badinant.*

Monarchiste? Même après la mort du roi? Il me semble qu'il l'a votée, pourtant.

MAXIME

Plus pour les Bourbons, bien sûr, mais pour lui-même. Il paraît que c'est pour cela que la droite, comme l'étranger, comme les prêtres, a toujours gardé une sorte de considération pour Robespierre. Elle sentait en lui l'homme de gouvernement. C'est curieux, n'est-ce pas, cette nostalgie française de la poigne? Robespierre au fond, pour eux, c'était encore l'ordre.

BITOS

Cette prétendue complicité avec la droite et les prêtres que certains historiens se sont plu, je ne sais pourquoi, à insinuer; c'est un point qui demande à être discuté.

MAXIME

Mon bon, nous sommes là pour ça. Passons à table, chacun a son petit carton.

Bitos a salué tout le monde, il se rapproche de Deschamps, très à l'aise, pendant qu'on se place et que Charles commence à servir.

BITOS

Deschamps, je suis heureux de te voir après si longtemps. Mais j'avoue que c'est une surprise. Je ne me doutais certes pas que tu étais des amis de monsieur de Jaucourt.

MAXIME

Monsieur Deschamps est instituteur à l'école communale de Bréville, c'est monsieur de Verdreuil qui m'a demandé de l'emmener. Et comme j'ai appris, par hasard, que vous aviez été amis autrefois, j'ai pensé que cela vous ferait plaisir.

BITOS, *un peu tendu.*

On est toujours content de rencontrer un ancien camarade... C'est d'ailleurs la raison de ma présence ici, ce soir, mon cher Maxime... Et mes idées démocratiques se trouvent en quelque sorte comblées de voir réunis, en un même banquet, les anciens élèves de chez les Pères et ceux de la communale... Tu es toujours instituteur? Pourquoi ne t'es-tu pas manifesté depuis que j'ai été nommé ici?

DESCHAMPS, *doucement.*

Tu tiens absolument à ce que je te le redise?

MAXIME

Asseyez-vous, je vous en prie, Bitos! Votre consommé va refroidir. Et n'oubliez pas qu'à partir de cet instant vous êtes Robespierre.

BITOS *constate en s'asseyant.*

Il y a un couvert vide...

MAXIME

Oui. Un ami qui viendra plus tard. Charles, vous le voyez, est lui-même d'époque. Et je vous ai fait reconstituer un repas de ce temps *(Il se retourne vers Bitos.)* Je veux dire avant que vous ayez eu vos premiers ennuis avec les commerçants, mon cher, avant les lois du maximum... Ce qui explique que ce soir, j'espère que vous mangerez bien. Et un peu trop.

Il y a un silence, on mange.

BITOS, *qui s'est servi, tout raide.*

Je ne crois pas que les conventionnels, les purs, attachaient beaucoup d'importance à ces choses...

Et puis les temps, ne l'oubliez pas, étaient affreusement durs...

MAXIME

Mon bon, au milieu des pires catastrophes, les Français n'ont jamais cessé de penser à bien manger. Enfin, ceux qui en avaient les moyens. J'ai lu quelque part qu'il y avait à l'époque un marché noir fort bien organisé.

BITOS, *déjà un peu pincé.*

Il a toujours été, hélas, pratiquement impossible quelles que soient les rigueurs des lois, d'obtenir des riches qu'ils ne corrompissent pas tout avec leur argent... Je ne dis pas que des jouisseurs comme les Danton, les Tallien...

JULIEN *lui crie de sa place, agitant la sonnette.*

Doucement, mon petit Max, tu ne m'as pas encore guillotiné!

BRASSAC *lui passant le plat.*

Profites-en pour te servir. Quand tu seras mort tout sera froid.

BITOS *a eu un pâle sourire à cette interruption, il continue.*

Mais Robespierre, lui, j'en suis sûr, ne participait jamais à ces fêtes toujours plus ou moins clandestines. Il rompait le pain d'un pauvre menuisier à la table familiale...

MAXIME

Bien sûr, mais encore ce pauvre menuisier avait-il une cousine à la campagne qui lui faisait passer un morceau de lard de temps en temps; un copain employé au écritures de l'ancienne Compagnie des Indes qui puisait quelquefois dans les stocks de café. Prenez donc sans remords un peu de cette ballottine, cher ami...

BITOS *se servant, précieux et vaguement ridicule.*

Je ne dis pas qu'à l'occasion d'une fête familiale, les plus purs, même de ce temps-là, ne se laissaient pas aller à obtenir — plutôt par complaisance comme vous dites et par amitié, que pour de l'argent — certaines douceurs... Il faut avouer que c'est humain... Mais je suis persuadé que Robespierre, dans sa volonté d'être incorruptible, ne partageait pas, ce soir-là, leurs agapes.

AMANDA

Il leur disait : « Non pas pour moi je suis incorruptible. Je ne prendrai pas de gigot. Des haricots seulement. »

BITOS, *essayant de rire.*

Ne vous moquez pas, petite madame! Je veux dire que j'imagine que ces bonnes gens, leurs jours de faiblesse se cachaient de lui.

LILA

Comme c'est vilain! Vous croyez qu'ils attendaient qu'il soit remonté dans sa chambre tout seul avec son petit bol de bouillon?

BRASSAC

Et on criait aux enfants : « Croque pas les os, nom de Dieu! Y a Robespierre qui va t'entendre!... »

BITOS, *souriant jaune.*

Vous avez une façon bien à vous, mon cher, d'imaginer l'histoire.

BRASSAC

D'abord, ne m'appelle pas mon cher, mais citoyen. Et n'oublie pas que tu me disais « tu »! Car tous ces hommes, qui se sont livrés mutuellement au bourreau, se tapaient sur l'épaule et se tutoyaient. Tu disais « tu » à Danton et à Camille avec qui tu dînais la veille même de demander leur tête à l'Assemblée. Tu me disais « tu » à moi! Celui que tu devais haïr le plus.

BITOS, *pontifiant.*

Une grande équipe de camarades, oui, mais qui n'hésitaient pas à se sacrifier en cours de route les uns aux autres pour que la ligne tracée en commun dans leur amour du peuple reste droite. Je m'étonne que vous ne sentiez pas ce qu'il y avait là de grand, Brassac.

MAXIME, *feignant de l'interviewer.*

Monsieur Robespierre, pensez-vous que le peuple sentait la grandeur de leur sacrifice et les payait de retour?

BITOS, *amer.*

Ce n'est pas toujours ceux qui le mènent sur la route dure de son bonheur qu'aime le peuple.

MAXIME, *continuant le jeu.*

Je crois percevoir un peu d'amertume dans votre propos. Vous aviez senti que le peuple ne vous aimait pas?

BITOS *sourit avec complaisance, se prêtant pour la première fois au jeu.*

Il me craignait. C'était assez, puisque je travaillais pour lui. Je vivais chez lui. Je partageais son inconfort et sa misère. A part cet habit bleu, mon unique coquetterie (je haïssais le laisser-aller, je haïssais le désordre et la crasse, c'est vrai) : je vivais comme lui.

JULIEN *lui crie du bout de la table.*

Tartuffe! Tu te faisais dorloter par les femmes, Duplay.

BITOS *sursaute.*

Qui a crié Tartuffe?

JULIEN *se lève, la bouche pleine.*

Ton ami Danton! Danton la grande gueule! Attends que j'avale. J'en ai plein la bouche de la ballottine de l'ami Tallien... Car moi j'aimais manger, j'aimais l'amour, j'aimais la vie. Et c'est pour ça que tu m'as fait tuer, Tartuffe! Tu croyais haïr le laisser-aller, le désordre, la crasse; c'est le peuple que tu haïssais! Et tu sais pourquoi? Parce qu'il te faisait peur. Le peuple te faisait peur, comme les femmes — d'où ta vertu — comme la vie. Tu nous as tous tués parce que tu ne savais pas vivre. Ils nous auront coûté cher tes complexes!

BITOS *hausse les épaules, essayant de faire rire les autres.*

Des complexes en 93!

JULIEN

Ne fais pas l'imbécile! Il y en avait déjà... Tu étais un curé, Robespierre, voilà la vérité, un sale petit curé d'Arras tout étriqué, un sale petit pisse froid.

BITOS *se lève à demi, pincé. On sent que Julien, gueulant, lui fait vaguement peur comme autrefois.*

Il me semble que vous dépassez la mesure, maintenant, mon cher...

MAXIME

Mon cher Bitos, le jeu est peut-être un peu amer, mais jouons-le sportivement. Je suis sûr que de votre côté vous ne deviez pas être beaucoup plus indulgent pour Danton.

BITOS *se rasseyant, haineux.*

Danton était un porc! Vautré chaque nuit chez les filles, il arrivait aux Jacobins le matin, débraillé, puant le parfum à bon marché et le vin. Et il fallait discuter de la Révolution avec ça!

JULIEN

Ma Révolution à moi sentait fort. Je le regrette pour tes chères petites narines. Quand elle a été chercher le roi en Octobre, tu crois que cela ne puait pas la sueur de femme et le vin sur la route de Versailles?

BITOS *lui crie.*

Danton a aimé l'émeute, il n'a pas aimé la Révolution!

JULIEN *se retournant, comiquement, vers les autres.*

Donnez-moi à boire ou je fais un malheur! Un malheur qui ne serait même pas historique! Et dire que je suis obligé de me laisser guillotiner le premier!

BITOS

Ton élan, ton audace, ton lyrisme, disons le mot, ta gueule, ont été utiles en leur temps. Un jour, il a fallu que la Révolution sorte enfin de l'émeute et du sentimentalisme; qu'elle sorte enfin de son enfance. Ce jour-là, Danton a été de trop. Tu aurais dû te taire et le comprendre...

JULIEN *se lève et crie comme au procès.*

Jurés assassins, vous m'écouterez. Personne ne pourra me faire taire! On entendra ma voix jusqu'aux rives de la Seine! La Révolution c'est ma sœur et ma bonne amie! Je la connais, moi! J'ai couché avec elle!

BITOS *hausse les épaules, méprisant.*

Des phrases.

JULIEN

Des cris. Des vrais cris d'hommes qui nous sont sortis du ventre à Camille et à moi. Des cris d'innocence qui hanteront à jamais la mémoire des hommes.

BITOS, *raide.*

Je n'ai rien entendu.

JULIEN *le considère et dit soudain.*

Sourd, en plus. Ce n'était pas assez d'être myope. Tu étais sourd. Raide et maladroit. Tes mains aux doigts serrés au bout de tes bras raides, tu allais te heurtant aux portes, renversant les chaises sur ton passage, écrasant les pieds et trop mal à l'aise pour t'excuser. Une sèche petite mécanique sans grâce. Un automate remonté. Des lèvres minces qui n'avaient jamais souri, jamais embrassé personne; des mains aux ongles rongés qui n'avaient jamais rien touché, de gros yeux qui ne voyaient rien. Moi sans la Révolution, j'aurais pu être charron ou maréchal-ferrant, j'aurais pu faire quelque chose d'honnête d'un fer rouge avec un marteau, Camille aurait pu jouer du clavecin ou peindre; Saint Just savait du moins maîtriser un cheval difficile ou faire des armes; ce pauvre homme de Louis XVI, lui-même, n'était pas mauvais serrurier. Si on l'avait expédié en Amérique comme il en a été question un moment, il aurait peut-être pu gagner sa vie et celle de sa famille, là-bas, comme un autre. Toi, tu ne savais rien faire de tes mains. Tu ne savais que parler. Un vilain petit avocat. Tu te rappelles ce que j'ai dit de toi, au procès? Ce bougre-là n'est même pas capable de faire cuire un œuf!

BITOS, *riant jaune.*

Des mots! Tu es mort en faisant des mots comme un cabotin. Moi, au moins je suis mort silencieux.

JULIEN *se remettant à manger.*

C'est parce qu'on t'avait cassé la mâchoire. Sans quoi, tu aurais parlé comme les autres. On parle toujours.

LILA, *soudain, dans le silence curieusement revenu.*

Cela a dû être passionnant le procès de Danton?

BITOS *a un geste.*

Mon Dieu, madame, un procès!

VULTURNE *sourit.*

Passionnant, ma chère. Un rôle de composition puissant et pittoresque. Une vedette aimée du grand public et, sensation rare, perdue depuis les Romains au théâtre, qu'on allait tuer vraiment; un jeune premier élégiaque et beau comme un dieu dont on savait la jeune femme mourante d'amour... Une grande première, quoi! L'ignoble Paris a toujours adoré les procès politiques... Toutes les dames avaient voulu des cartes... La salle était presque aussi brillante qu'au procès du roi. Évidemment, le local du Tribunal révolutionnaire se prêtait moins à l'atmosphère de grand gala qu'avait pris le procès de Louis XVI en pleine Assemblée; avec toutes les femmes à la mode s'éventant et mangeant des sorbets dans les loges et les huissiers qui s'étaient galamment transformés en ouvreuses... Pour le procès de Danton, il faut bien le dire, on s'était moins habillé. D'abord, ce n'était plus de bon ton en 93; beaucoup de têtes amies avaient été coupées depuis... La mode était aux petites robes toutes simples, un léger demi-deuil. Cela avait plutôt un côté spectacle d'avant-garde pour connaisseurs. Le problème passionnant pour les initiés était de savoir comment on empêcherait Danton de parler...

AMANDA

Et comment y est-on parvenu?

VULTURNE

En faisant voter dès le second jour la mise hors des débats des accusés, sous le prétexte qu'ils insultaient le Tribunal. Ce n'était rien, mais il fallait y penser : c'était génial. Ce tour de passe-passe permit de les condamner à mort, sans les entendre. De siècle en siècle, la justice française, par ailleurs assez retardataire, a des petites inventions de détail comme celle-là, pour sortir des pas difficiles — des tours de main de cuisinier qui lui permettent de sauvegarder l'essentiel, c'est-à-dire de servir le régime, quel qu'il soit.

BITOS *s'est levé, pâle.*

Maxime, je crains qu'on n'abuse, maintenant! Je suis sous votre toit et, en qualité de magistrat, je ne permettrai pas...

VULTURNE, *très calme.*

Nierez-vous que c'est ainsi que le pauvre Danton fut proprement escamoté?

BITOS *sursaute.*

Escamoté! Je sais, monsieur de Verdreuil, que vous n'êtes pas démocrate, mais il y avait eu un vote. Un vote régulier. Donc la mort de Danton était une décision de la France!

JULIEN

Ce qu'on arrive à lui faire dire à la France avec douze voix de majorité!

BITOS *glapit.*

Un vote est un vote!

JULIEN, *ironique.*

Hélas!

BRASSAC *lui lance.*

Et ce vote, mon cher Robespierre, tu ne pus l'obtenir que de nous. C'est en t'appuyant sur la droite que tu as eu la tête de Danton. Toi, tu ne pensais qu'à ta haine, et nous, nous pensions : Un de moins. En somme, chacun faisait ses affaires.

BITOS *crie, dressé.*

Je m'inscris en faux contre cette calomnie! Robespierre n'a jamais eu de collusion avec la droite!

BRASSAC

Comment se serait-il fait ses majorités chaque fois qu'il décimait la Montagne? Tu penses bien qu'il la connaissait la cuisine, l'Incorruptible! Le 9 Thermidor, quand il s'est senti perdu, il s'est tourné vers nous et il nous a crié : « Hommes purs! C'est à vous que je m'adresse! » *(Il rit.)* Hommes purs! A nous! Fallait-il qu'il se sente mal!

BITOS

C'est faux! Tout ce que vous avancez est faux! Vous interprétez l'histoire!

BRASSAC

C'est dans Isaac et Malet. J'ai appris tout cela à l'école à douze ans avec toi.

JULIEN, *brandissant son livre.*

Passez-lui le petit livre qu'il vérifie, tout y est!

MAXIME *agite sa sonnette et les force à se rasseoir.*

Mes amis, mes amis... Nous allons beaucoup trop vite. Si nous suivons ce train, nous en serons au dix-huit Brumaire avant le café, et je n'ai même pas prévu un Bonaparte... D'ailleurs, je sens que nos belles amies s'ennuient... Cette conversation de haute politique ne leur a pas permis de placer un mot. Et les dames ont pourtant joué un rôle aussi, un rôle capital. Un peu à elles. *(Il empoigne une cuiller à sauce à Charles qui passait et la tend à Lila comme un micro.)* Majesté, avec le recul de l'histoire, pouvez-vous nous faire la grâce de dire à nos auditeurs votre sentiment personnel sur les tristes événements qui ont marqué votre règne?

LILA, *feignant de parler au micro.*

Hé bien, nous avons été extrêmement surpris, le Roi et moi, du cours que prenaient les choses... Nous étions une famille très unie. Louis un bon père, un bon époux et, nous en étions persuadés, un bon roi. Son souci du bien de ses sujets était la chose la plus touchante du monde. Les temps étaient durs, il le savait. Il souffrait de la misère de son peuple... Tard dans la nuit, revenant du bal, combien de fois l'ai-je trouvé penché sur son petit carnet rouge, dans sa chambre, en train de combiner des économies.

MAXIME, *toujours très reporter à la radio.*

De fâcheux bruits ont couru sur vous, Majesté, à l'époque. Pouvez-vous, maintenant que tout cela est loin, dire à nos auditeurs s'il était fondé d'y ajouter foi?

LILA

Oui et non. J'étais très jeune, j'aimais les fêtes, j'étais jolie. Quelle jeune femme n'a pas envie de s'amuser? Louis était très bon, très droit. Ce n'était pas un homme très amusant. J'avais des amis.

MAXIME

Et ces amis, faut-il croire, comme on l'a affirmé, qu'ils vous ont entraînée à quelques imprudences?

LILA

Quelle jeune femme n'est pas imprudente un jour ou l'autre?

MAXIME

Ne parlons pas seulement des fêtes *(au micro)* car, mes chers auditeurs, il importe de rappeler à ceux de nos auditeurs qui ne seraient pas entièrement au fait des mœurs de l'ancienne France, que le faste de la maison royale était à l'époque une véritable nécessité politique. Le peuple eût été le premier mortifié que son roi n'ait pas les plus beaux diamants, les plus beaux palais, les plus belles fêtes *(il s'incline, galant, vers Lila)*, la plus belle reine!

LILA *minaude.*

Merci.

MAXIME *continue au micro.*

Cet amour qu'il a reporté depuis sur les chanteurs de charme, les coureurs cyclistes et les vedettes de cinéma — à qui il passe sans rancune les manteaux de vison et les grosses voitures qui risquent de coûter leur vie un jour à de simples bourgeois — il l'avait alors pour sa reine et pour son roi. Le Roi et vous, madame, vous étiez, en somme, ses vedettes!

LILA

On parle toujours de mes dépenses, mais j'avais lancé les modes les plus simples... Je m'habillais de linon, de cotonnades. Le peuple me le reprochait d'ailleurs. Il déteste la simplicité. Mes folies? peigner mes moutons dans mon ermitage, traire le lait de ma vache. Je suis la première reine de France qui ait mis son bonheur à vivre comme la plus humble de ses sujettes. Enfin, on ne peut pas dire que je ruinais la France en trayant le lait de Roussette!... C'était ma vache.

MAXIME, *au micro, badin.*

Sa Majesté nous fait une confidence amusante, sa vache s'appelait Roussette!

BITOS *crie à Lila. Ils sont nez à nez comme deux commères qui se disputent.*

Le hameau de Trianon avait coûté une fortune scandaleuse!

LILA

Tout nous coûtait une fortune à nous. Nous ne pouvions tout de même pas discuter avec nos entrepreneurs!

BITOS

Et vos amies? Et les pensions?

LILA

Je sais. Tout le monde m'a toujours reproché madame de Polignac. Je l'aimais tendrement, c'était mon droit.

BITOS

Votre droit n'était pas de la combler scandaleusement, elle et sa famille!

LILA

Les Polignac étaient très serrés. Il fallait bien que je les aide. Vous n'avez jamais aidé un ami, monsieur?

BITOS *dans un cri.*

Jamais!

Tout le monde rit.

JULIEN

Enfin, un cri du cœur!

BITOS *crie, vexé.*

Laissez-moi parler. Je ne vois vraiment pas ce qu'il y a de drôle! Jamais, avec l'argent du peuple...

LILA, *innocemment.*

Parce que vous ne l'aviez pas à votre disposition!

BITOS *tonne.*

Je l'ai eu! Et plus librement que vous peut-être... Je n'ai jamais habité un palais. Je n'ai jamais eu que mes jetons de présence aux comités, mon traitement à l'Assemblée. Le 9 Thermidor, on n'a trouvé chez moi qu'une cinquantaine de livres et je devais quatre ans de pension aux Duplay. Quels sont ceux, je ne parle pas des sangsues aristocrates, qui peuvent présenter de tels comptes? Tallien, Mirabeau, Danton même?

BRASSAC, *sans rire.*

Moi, mon cher, j'étais un homme d'ordre et un

financier. Si j'avais eu à présenter des comptes, en tout état de cause, croyez qu'ils eussent été en règle.

BITOS *ricane.*

Je m'en doute. Et les pensions de Mirabeau? Il avait d'énormes besoins d'argent. Les besoins inépuisables du vice. On sait ce qu'il a touché de la cour!

VULTURNE, *souriant.*

J'étais sincèrement royaliste, mon bon. Quand les convictions sont sincères, il y a quelque jésuitisme à vouloir qu'elles ne rapportent rien.

BITOS *ricane.*

Jolis principes!...

VULTURNE, *souriant.*

Pardon. Absence de principes, ce qui est tout autre chose.

BITOS

C'est laisser la porte ouverte aux pourris, aux voleurs!

VULTURNE

Peut-être; mais, en politique, la France a eu plusieurs fois l'occasion de constater qu'ils étaient moins dangereux que la vertu. C'est un fait, les voleurs tuent moins. Et si on doit choisir...

BITOS, *révolté.*

Ce que vous dites est ignoble, monsieur!

VULTURNE, *toujours souriant.*

Oui, c'est ignoble. La réalité est presque toujours ignoble. Au moins, puis-je choisir, si j'ai le choix, la forme d'ignominie qui me coûte le moins cher. D'ailleurs, les vraies révolutions sont lentes et elles ne sont jamais sanglantes. Le sang, c'est toujours pour payer la hâte de quelques hommes comme vous, pressés de jouer leur petit rôle.

BITOS *ricane.*

Par cabotinage, n'est-ce pas? Pour se faire applaudir comme des acteurs? N'avez-vous pas remarqué qu'ils sont toujours prêts à mourir eux-mêmes et à rester pauvres?

VULTURNE *sourit.*

Si, mais j'ai remarqué que les acteurs exécrables l'étaient aussi. Tout l'Odéon se ferait tuer pour son art. Ce n'est pas ce qui leur donne du talent.

BITOS

Votre cynisme est écœurant!

VULTURNE

Il est tendre pour les hommes, dont il a accepté la faiblesse. Et la tendresse humaine, cette dame qui vous est restée inconnue, compte aussi.

BITOS

La tendresse humaine, comme vous dites, peut être faite d'autre chose que d'indulgence et de facilité! Rappelez-vous ce que j'ai crié à la Convention quand les lâches parlaient d'indulgence. Indulgence pour les royalistes? Grâce pour les scélérats? Non! Grâce pour l'innocence! Grâce pour les faibles! Grâce pour les malheureux! Grâce pour l'humanité!

Tout le monde l'applaudit comme dans une réunion publique le démontant un peu.

VULTURNE *réplique souriant.*

C'était fort beau. Mais j'ai remarqué que ceux qui parlent trop souvent de l'humanité ont une curieuse tendance à décimer les hommes.

BITOS

La nature aussi décime, déblaie, nettoie, massacre! La nature, chaque jour, fait naître et extermine des millions d'êtres! Un jour du monde n'est qu'une vaste naissance et un vaste égorgement pour l'accomplissement de son dessein.

VULTURNE

Peut-être. Mais le dessein de la nature — si tant est qu'elle en ait un — n'est de toutes façons pas né dans la tête de Monsieur de Robespierre. Devant un tremblement de terre qui fait deux cent mille victimes, il n'y a plus qu'à s'incliner, c'est entendu. Mais quand le tremblement de terre a été conçu par une poignée de petits intellectuels mécontents du monde, on peut être tenté d'intervenir...

BITOS *lui crie.*

Vous prêchez la guerre civile?

VULTURNE

Mon cher, j'ai horreur des massacres; mais je ne me sens pas, non plus, une vocation de lapin.

BITOS *glapit, tapant sur la table, s'oubliant.*

Rien n'arrêtera la marche du progrès! C'est de cela que vous enragez. Et quand il s'agit de vous défendre vous et vos biens vous venez d'avouer que vous n'êtes plus tellement économes de sang!

VULTURNE

Les rois ont massacré, eux aussi depuis l'aube du monde et autant que vous, c'est vrai. Ils avaient du moins le courage de dire que c'était pour le bien de leurs affaires, ou pour leur bon plaisir. On savait à quoi s'en tenir. Louis XI n'employait pas de grands mots, il ne se donnait pas le beau rôle. Il restera éternellement dans les livres d'histoire un personnage antipathique, avec ses amulettes ridicules à son chapeau, un pied sur la cage du cardinal de La Ballue. Vous et vos pareils, en faisant la même besogne, vous y avez posé la main sur le cœur. C'est en cela que je vous trouve répugnants.

BITOS *s'est levé, tout pâle.*

Monsieur, retirez le mot.

VULTURNE *le servant, désinvolte.*

Trop tard, il s'est envolé. Je vous sers un peu de champagne?

BITOS *a jeté sa serviette, il affecte ensuite un calme hautain et se retournant vers Maxime.*

Mon cher Maxime, je savais en venant chez vous que je serais le seul à défendre mes idées — et c'est un peu pourquoi je suis venu. Je pensais que cet échange d'idées serait vif, mais courtois. Je vois que je me suis trompé. Je vais vous demander de me retirer. Veuillez me faire donner mon manteau.

MAXIME *s'est levé aussi, souriant et calme.*

Non.

BITOS

Comment, non?

MAXIME

Ma petite fête n'est pas finie et vous m'êtes indispensable. Charles ne vous donnera pas votre manteau.

BITOS *a un sourire hautain et fait un pas vers le vestiaire.*

J'irai donc le chercher moi-même...

Maxime et Julien qui s'est levé aussi lui barrent le passage.

MAXIME, *toujours doucement.*

Non plus. Je vous assure, Bitos, que nous ne saurions nous passer de votre présence ce soir.

BITOS

C'est un guet-apens?

MAXIME *éclate de rire.*

Quel grand mot! C'est une invitation ferme tout au plus.

BITOS *les regarde et murmure.*

Qu'avez-vous l'intention de me faire?

MAXIME, *toujours calme.*

Vous faire jouer votre rôle jusqu'au bout, c'est tout.

BITOS *glapit.*

Vous ne vous figurez tout de même pas que je vais, de bonne grâce, continuer à être votre tête de Turc?

MAXIME

Il vaudra mieux, Bitos, que ce soit de bonne grâce.

BITOS *va s'asseoir sur un fauteuil plus loin, pâle mais calme, il croise les bras.*

Soit. Faites de moi ce que vous voulez. Je sais que cette ville est un foyer pourri de fascisme et de réaction. Je suis venu sans illusion, mais je pensais du moins être protégé sous votre toit par les lois de l'hospitalité, sinon par celles de l'honneur dont on parle beaucoup dans votre monde.

MAXIME

Je vous promets que l'honneur, en ce qui me concerne, sera sauf.

BITOS *ricane.*

On connaît vos méthodes! Elles ont fait leurs preuves. Mes compliments, mesdames. Je vois que les jeunes femmes de votre monde ont d'innocentes et saines distractions. *(Il fixe soudain Victoire et dit:)* Mademoiselle de Brêmes, vous êtes la seule ici dont la présence m'étonne et me peine. C'est sans doute pour me punir d'avoir osé demander votre main cet après-midi à Monsieur votre père que vous êtes venue au spectacle de ce soir?

VICTOIRE *murmure, toute pâle.*

Je croyais à une simple plaisanterie...

BITOS *ricane.*

Et comme vous le voyez, il ne s'agit pas d'une simple plaisanterie. *(Il se retourne vers les hommes, très digne et un peu ridicule.)* Vous avez décidé de me supprimer? Je suis substitut du Procureur de la République et la République existe encore; cela fera peut-être du bruit dans la ville demain.

MAXIME *éclate de rire.*

Ne faites pas l'imbécile, Bitos. Personne ne songe à vous supprimer, nous avons trop besoin de vous pour rire. Vous vous rappelez chez les Pères on avait réussi à vous chambrer pour vous berner dans une couverture. Vous vous en êtes tiré avec quelques bleus et le nez écorché. Vous n'en êtes pas mort.

BITOS, *amer.*

Et les bons Pères ont fini par admettre que c'était renouer — un peu brutalement, peut-être — une bonne vieille tradition du collège, un divertissement un peu rude, mais très vieille France, en somme. Aussi la punition a-t-elle été légère. Ne pensez pas que la police et le Parquet, demain, si vous me laissez sortir vivant se contenteront de vous priver de chocolat. C'est un cas caractérisé de séquestration! *(Il glapit soudain ridicule.)* Coups et violence! Article 132.

MAXIME

Vous voyez ce que c'est d'avoir fait trop de droit! Vous dramatisez tout, Bitos. Nous ne vous avons pas encore touché. Seriez-vous lâche?

BITOS

Non.

MAXIME

Non. Il faut vous rendre cette justice, je crois que vous n'êtes pas lâche. Je le regrette. Cela aurait décuplé mon plaisir. *(Il dit sourdement, les dents serrées.)* Je vous déteste, Bitos. Je vous déteste depuis que je suis tout petit.

BITOS, *sourdement aussi.*

Je le sais. J'ai essayé d'être votre ami de toutes mes forces. Quand j'avais douze ans, je vous passais mes compositions. Je m'étais fait votre valet. Je portais vos affaires, pendant les promenades, pour que vous puissiez courir librement; moi qui ne courais jamais. Je n'ai jamais rien reçu de vous, que des rebuffades.

MAXIME, *doucement.*

Je ne vous aimais pas.

BITOS, *sans le regarder, doucement aussi.*

Pourquoi?

MAXIME

Vous manquiez de grâce.

BITOS, *après un temps imperceptible.*

Vous êtes le seul de qui cela m'ait peiné. Mais j'avais l'habitude. Tout le monde me détestait au collège parce que j'étais toujours premier — parce que je manquais de grâce c'est vrai — et que j'étais le fils d'une blanchisseuse... *(Il crie soudain :)* Oui, j'étais le fils d'une blanchisseuse! Ma mère lavait les draps du collège, depuis vingt ans. C'est pour cela qu'on m'avait pris gratuitement. Elle lavait vos draps de petits vicieux pleins de taches depuis vingt ans. C'est à ces taches nettoyées, que je dois d'être ce que je suis : docteur en droit et en philosophie, licencié de physique, de mathématiques, de lettres, d'histoire, d'allemand *(il ajoute hurlant on ne sait pourquoi)* et d'italien! C'est drôle, n'est-ce pas? Ça ne vous fait pas rire? J'ai passé tous les examens qu'on pouvait passer. Quand les autres allaient boire un bock au Dupont-Latin après le cours, moi je rentrais dans ma chambre et je recommençais avec un sandwich, sur mon livre. Et quand les autres rentraient dans la nuit de leurs sorties avec des filles, j'étais encore là. Jusqu'à l'heure des Halles où j'allais décharger des camions. Après, je dormais trois heures; quand il m'en restait trois. Et à l'heure du premier cours c'était encore moi qui étais assis le premier, au premier rang, mes grandes oreilles de paysan grand-ouvertes, mes yeux de niais écarquillés, pour voler le plus possible de cette précieuse science bourgeoise que gagnaient les bras ruisselants de ma mère. *(Il ajoute, plus calme, avec un curieux geste à la fois haineux et étriqué.)* Si un jour j'ai droit à des armes comme vous, messieurs, il y aura les deux bras rouges de ma mère — croisés dessus.

Il y a un silence après cette sortie, puis Vulturne demande doucement.

VULTURNE

Qu'est devenue votre maman, Bitos?

BITOS, *raide.*

Elle est morte. A la longue les draps l'ont eue.

VULTURNE

Je le regrette. Je l'ai connue, c'était une coura geuse femme.

BITOS *s'incline cérémonieusement avec un maigre sourire.*

Merci, monsieur le comte, comme on dit dans les mauvais mélodrames. Votre mère aussi était une brave femme. Je sais qu'elle a aidé la mienne, quand mon père est mort.

VULTURNE, *après un petit temps.*

Je ne retire rien de ce que j'ai dit, Bitos, mais j'estime votre courage et votre désintéressement. Je regrette de vous avoir blessé. Cela prouve que la discussion politique est toujours très difficile en France. Nous avons tous, de part et d'autre, trop de vilaines histoires derrière nous. Pour longtemps, la haine est française... Quoi qu'il en soit, le jeu de Maxime ne pouvait mener à rien de bon. Je suis d'avis qu'il vous rende votre manteau.

MAXIME

Je regrette, mais nous sommes ici quelques-uns, n'est-ce pas, monsieur Deschamps? pour qui le souvenir de la mère de Bitos, si touchant qu'il soit, ne suffit pas pour effacer certaines choses. Robespierre, le vrai, avait aussi une mère j'imagine? Comme chacun des hommes qu'il a fait guillotiner, d'ailleurs.

DESCHAMPS *s'avance et dit, doucement.*

Puisqu'il est question de ta mère, je vais tout de même la dire mon histoire. Quand tu as demandé la tête de Lucien avec qui nous avions fait notre première communion tous les deux, sa mère est venue te trouver la veille de l'audience, avec la tienne. Ces deux vieilles se sont mises à tes genoux et t'ont embrassé les jambes, te suppliant. Et ta mère pleurait autant que l'autre.

BITOS, *fermé.*

Lucien avait trahi.

DESCHAMPS, *doucement.*

Nous étions dans le même maquis, Bitos, toi et moi, et tous les soirs nous disions ensemble en serrant les poings, quand ce sera fini, on le retrouvera, Lucien!

BITOS *a un sourire méchant.*

Tu l'avoues?

DESCHAMPS

Oui. Mais pour moi cela se serait terminé par une volée de coups de poing, comme autrefois à la récréation. Pas douze hommes avec des fusils pour lui faire un trou dans le ventre, presque à bout portant, dix ans plus tard.

BITOS

Lucien avait combattu contre nous! Il avait tué!

DESCHAMPS *murmure.*

Nous aussi.

BITOS *glapit.*

Tu ne vas tout de même pas comparer l'activité de ce petit traître à la nôtre?

DESCHAMPS

Non. Rassure-toi. Nous l'avons déjà eue cette discussion, le soir où notre amitié est morte. Ce que je voulais seulement raconter, puisque tu as évoqué le souvenir de ta mère, c'est qu'elle t'avait supplié une partie de la nuit avec l'autre, à genoux, et qu'au petit matin, voyant que décidément son fils était un vrai Romain, elle s'était levée, la brave mère Bitos dont nous parlons, pas du tout admirative et, avec sa grosse main rouge de blanchisseuse, elle l'avait giflé à toute volée, aller retour, son héros.

BITOS, *tout pâle,*
avec, malgré lui, un geste ébauché à la joue.

Il est très délicat de ta part de rappeler ce souvenir grotesque.

DESCHAMPS

Pas très délicat, non. Depuis la guerre, j'ai renoncé à être délicat. Mais puisque tu as été te réfugier dans les jupes de ta mère, comme autrefois quand on voulait te battre à la sortie de l'école, j'ai tenu à dire à tout le monde ce qu'elle pensait de toi, elle aussi.

BITOS *les regarde tous, comme une bête traquée.*

Me battre, toujours me battre, on a toujours voulu me battre, même à la communale! Il faut croire que je vous gênais déjà, les fils de pauvres aussi! *(Il crie soudain, les regardant :)* Eh bien, battez-moi, puisque vous avez décidé de me battre. Vous êtes six ici et je suis seul, qu'est-ce que vous attendez?

MAXIME, *froid, aux autres, on ne doit pas savoir si c'est vrai ou s'il veut encore faire peur à Bitos.*

Je ne retiens ni les femmes ni ceux que le jeu n'amuse plus. Charles, vous pouvez apporter les vestiaires qu'on vous demandera. Sauf celui de monsieur Bitos.

Tout le monde se regarde, inquiet, Philippe s'avance, essayant de plaisanter.

PHILIPPE

Allons... allons, c'est une révolte?

MAXIME *sourit aussi et répond, froid.*

Non, Sire. C'est une révolution.

PHILIPPE, *plus grave.*

Maxime... Je n'ai encore rien dit. Tu m'as fait coiffer une perruque au débotté, après huit heures de voiture. Je n'ai même pas eu l'occasion de placer mon unique réplique et je n'ai pas encore dîné. Tu m'as habitué à une hospitalité plus généreuse. Il me paraît convenable que tu laisses s'en aller Bitos, s'il le désire, et que tu nous serves la suite de ton mirifique repas... Je crois me faire l'interprète de la plupart des amis que tu as invités ce soir...

LILA *s'avance aussi.*

Mon petit Maxime, on ne peut pas perdre une soirée comme ça. On n'en a pas tant dans la vie. Vous n'allez tout de même pas nous faire rentrer chez nous à dix heures?

AMANDA *lui a pris le bras.*

Maxime, mon chéri, maintenant c'est toi qui es ridicule. Tu as voulu faire mettre monsieur Bitos en colère. Ta mauvaise plaisanterie a réussi. Monsieur Bitos s'est mis en colère, maintenant laisse-le rentrer chez lui et continuons le dîner tranquillement.

MAXIME *lui crie soudain, lui prenant le bras.*

Tu as pitié de lui?

AMANDA

Peut-être.

MAXIME

Les femmes ont toujours pitié des blessures qu'elles n'ont pas faites elles-mêmes. Alors, puisque tu as pitié de lui, embrasse-le!

Il les pousse brutalement l'un vers l'autre.

AMANDA *crie.*

Maxime, tu es fou!

MAXIME

Embrasse-le, tu ne vois donc pas comment il te regarde depuis tout à l'heure? Embrasse-le et je le laisserai partir! *(Il les tient l'un contre l'autre, les poussant de force.)* Ça sent bon, hein, petit curé, les femmes riches? mais quand on demande la main des jeunes filles, on se fait flanquer à la porte et, pour devenir l'amant des autres, il faut leur plaire. Alors, embrasse-la, puceau! Je veux t'avoir vu dans les bras d'une femme avant de mourir...

On se précipite, on les dégage.

LILA

Maxime, vous êtes un affreux mufle et je regrette d'être venue chez vous!

VULTURNE *s'avance, froid.*

Mon petit Maxime, tu sais que j'aime bien les plaisanteries, mais je crois décidément que celle-là n'est pas drôle... Nous allons tous partir, parce que je ne vois pas comment cette soirée pourrait redevenir agréable après ta dernière goujaterie; mais nous ne partirons pas sans Bitos. Philippe et moi le raccompagnerons jusqu'à sa porte. Je ne lui porte pas beaucoup plus de sympathie que toi, et je ne sais pas ce que tu avais résolu, mais ne compte pas sur moi pour t'y aider. Il y a tout de même des choses qui passent la mesure.

MAXIME, *après un temps.*

Compte qu'il se posera beaucoup moins de questions que toi quand il te fera fusiller un jour prochain. Apportez les vestiaires, Charles, y compris celui de monsieur Bitos.

Charles est sorti précipitamment chercher les vestiaires. Il revient au bout d'un temps, comiquement surchargé de manteaux. Tous les personnages sont restés immobiles et silencieux.

CHARLES

Voilà les vestiaires... Je prie ces messieurs dames d'avoir la bonté de m'excuser. Je vais peut-être m'embrouiller un peu... *(Il dit pour lui, nerveusement :)* Les dames d'abord. Il me semble que celui-ci est à mademoiselle de Brèmes... Pardon, mademoiselle... *(Il le lui passe en grommelant.)* D'habitude, j'ai une méthode... Je ne me laisse jamais embouteiller, mais ce départ a été tellement précipité... Celui-là est à monsieur le comte. *(Il passe à Vulturne un manteau visiblement trop petit.)* Non! Pardon, monsieur le comte! C'est une erreur. Voilà trente ans que pareille aventure ne m'est pas arrivée! Voilà le bon. Non! Quelle confusion! Je n'y arriverai jamais tout seul. *(Personne ne semble en effet songer à l'aider, ils sont figés. Il grommelle :)* Il me faut de l'aide. *(Il va appeler :)* Joseph! Viens m'aider! Ces messieurs dames t'excuseront de ta tenue, vu le désarroi. *(Le garçon de cuisine est apparu ahuri, en pantalon et tablier de coutil rayé bleu.)* Oui, tu vois, tout le monde s'en va en même temps, c'est la panique! Recherche les vêtements des dames.

Le jeu continue un moment, petit ballet muet et cocasse entre les deux domestiques, jusqu'à la limite de résistance des spectateurs et à ce moment, par la même porte d'office surgit un jeune homme en imperméable à ceinture, curieusement coiffé d'un bicorne de gendarme de l'époque. Il s'arrête un instant sur le seuil et dit simplement :

LE JEUNE HOMME

Et moi? *(Tout le monde s'est retourné surpris. Il demande encore, un sourire crispé sur ses lèvres minces :)* Le gendarme Merda, on l'oublie à l'office? On n'a plus besoin de lui? *(On le regarde sans comprendre. Bitos a reculé instinctivement. Il est devenu affreusement pâle. Maxime est de marbre. Le jeune homme regarde Bitos, il demande doucement :)* Le 9 Thermidor, on ne le joue donc plus?

LILA *crie, soudain.*

Mais enfin qui est-ce, Maxime?

LE JEUNE HOMME *l'arrête d'un geste.*

Les présentations seraient trop longues, madame. Et le seul que cela concerne n'en a pas besoin. Il m'a reconnu, lui. Grandi et un peu maigri, n'est-ce pas?

BITOS *articule, enfin.*

Vous vous êtes évadé?

LE JEUNE HOMME *sourit.*

Non, mon vieux. Il n'y a que les substituts pour se figurer qu'on s'évade des centrales. Tu as requis le maximum, souviens-toi, dix ans. Mais cinq ont tout de même paru suffisants au tribunal. Un an de préventive, le reste en cellule, parce que, grâce à la longueur de l'instruction, j'ai eu tout juste l'âge qu'il fallait pour être considéré comme un homme. En cellule et bien noté : remise du quart de la peine; c'est régulier? Tu peux vérifier, le compte y est. A un jour près, je te l'assure. Cela t'a paru moins long à toi?

BITOS *s'est retourné vers Maxime.*

C'est vous qui avez fait venir ce garçon, n'est-ce pas?

MAXIME, *doucement.*

Il me manquait un gendarme Merda. J'ai pensé que nul mieux que lui ne pourrait tenir ce rôle.

BITOS *crie soudain, nerveusement.*

Je n'ai rien à me reprocher! Je n'ai fait que mon devoir. Cette petite pègre de l'après-guerre qui n'avait même pas l'excuse de la misère ne méritait aucune pitié. Vous avez volé une voiture, et vous vous êtes présenté au guichet d'un bureau de poste, un revolver à la main, comme dans un mauvais film.

LE JEUNE HOMME, *doucement.*

Exactement comme dans un mauvais film. J'avais

dix-sept ans et à force de traîner dans les cinémas, depuis quatre ans que je vivais livré à moi-même, j'avais vu à peu près tous les mauvais films qu'on pouvait voir à l'époque. Et Dieu sait s'il y en avait! Mais c'est étonnant comme le sens artistique s'affine en cellule. Ces quelques années de solitude m'ont permis d'apprécier tout ce qu'il y avait de mauvais goût dans mon geste. Je dois donc vous remercier d'avoir pris une part importante à l'éducation négligée d'un petit jeune homme qu'en somme, vous ne connaissiez pas?

Il a souligné les derniers mots.

BITOS, *sourdement, après un temps.*

J'avais connu votre père, oui. On a dit que je lui devais mon premier avancement. Je ne cherche pas à le nier; j'avais été son secrétaire à la préfecture. On a essayé de faire pression sur moi. Mais ce n'est pas une raison parce que vous étiez le fils d'une ancienne notabilité de cette ville. *(Il crie soudain haineux, la bouche tordue, vengeur :)* D'ailleurs, en prison elle-même pour faits de collaboration! Est-ce ma faute si les biens de votre père vendus — comme l'exigeait la loi — votre mère n'a plus su que vous laisser traîner dans les rues comme une petite gouape? Les fils des déportés des camps allemands n'ont-ils pas eux aussi vécu comme des orphelins? Je n'étais pas chargé de vous! Je n'ai fait que mon devoir. Je n'ai que haine et mépris, je le regrette, pour les petits fils de famille qui attaquent les bureaux de poste le jeudi!

VULTURNE *va à lui.*

Franz Delanoue. Je vous reconnais maintenant. J'ai été un ami des vôtres. Votre histoire est affreuse et on vous a fait payer très cher votre enfantillage, c'est vrai. Mais vous êtes un homme maintenant. Venez, nous partons tous.

Il veut lui prendre le bras, mais le jeune homme se dégage doucement.

LE JEUNE HOMME

Un instant. Je devais jouer le gendarme Merda. On m'a déjà arrêté une fois parce que j'ai voulu jouer aux voleurs. Je veux jouer aux gendarmes maintenant pour me réhabiliter. *(Il sourit.)* C'est tout ce que je sais faire, jouer. On ne m'a jamais appris autre chose. *(Il se met à marcher doucement vers Bitos à travers la foule. Vulturne a fait un geste mais la main de Maxime l'arrête et il ne fait plus que regarder fasciné comme les autres, comme Bitos, le jeune homme qui récite en avançant doucement :)* ... Et le gendarme Merda traversa la foule qui encombrait le salon de l'Hôtel de Ville. Il alla droit à Robespierre. « C'est toi le citoyen Robespierre? Je t'arrête. »

BITOS *murmure comme dans un songe.*

Tu es un traître! C'est moi qui vais te faire arrêter.

LE JEUNE HOMME *achève*
avec l'ombre d'un sourire sur ses lèvres minces.

...dit Robespierre... Mais le gendarme Merda qui n'était pas du tout dans le goût de l'époque (en ce sens, qu'il n'avait pas la parole facile) jugea que ce n'était pas la peine de parler davantage et il tira son pistolet...

Le jeune homme a tiré un pistolet d'époque de la poche de son imperméable, un dérisoire petit pistolet à chien et il tire soudain sur Bitos qui le regardait immobile, comme fasciné. Détonation. Bitos s'est pris la mâchoire. Un cri de femme. On bondit. Trop tard. Le noir aussitôt. On entend crier dans le noir : « Qu'est-ce que c'est que cette petite brute? Un médecin vite. Il faut appeler un médecin... Mais ne vous affolez donc pas! Le pistolet n'était pas chargé. Mais il saigne! Il a été atteint à la mâchoire. Étendez-le sur la table! » Et par-dessus la voix de Maxime, qui crie :

MAXIME

Va-t'en, maintenant, toi! Je te dis de t'en aller, je me charge du reste!

Quand la lumière revient, dès la fin de ce dialogue, la salle est la même, mais une curieuse lumière d'un jour blafard tombe des soupiraux. Sur la table débarrassée de la nappe et des couverts, Robespierre est étendu. Dans un coin deux hommes du peuple, en bonnet rouge, semblent le garder. On reconnaîtra, mais cela ne doit pas être immédiat, Charles et le garçon de cuisine. Ils jouent aux cartes sur un tabouret de paille. Joseph s'arrête soudain et va voir jusqu'à la table où Robespierre est étendu, immobile, étanchant de temps en temps le sang de sa mâchoire d'un geste mécanique.

CHARLES *demande.*

Il est mort?

JOSEPH, *qui revient.*

Non. Il bouge encore. Il vient d'essuyer le sang de sa bouche.

CHARLES

Tu crois qu'ils vont nous le faire garder toute la nuit?

JOSEPH

Pardine. Quatre heures du matin. C'est pas une heure pour guillotiner. Où c'est que tu te crois? On est en France tout de même. Et l'an II de l'Égalité. On le guillotinera à midi. Comme les autres.

Il se bourre une chique dans la bouche, l'autre allume sa pipe et ils reprennent leur jeu abattant leurs atouts pendant que le rideau tombe.

FIN DE L'ACTE PREMIER

ACTE II

Même décor. Les hommes jouent toujours aux cartes. Le jour a changé. L'un d'eux, après avoir bu au goulot une lampée de vin rouge, va voir où en est Robespierre et revient.

CHARLES, *battant les cartes.*

Il est mort?

JOSEPH

Non. Il respire encore.

CHARLES

S'ils veulent attendre midi, ils ne pourront même pas le montrer au peuple.

JOSEPH

Pas sûr. Vois Osmin, de la fournée de Bicêtre. Il s'était percé le cœur avec un clou, le bougre — mauvaise histoire ça, pour le gardien! On l'a ranimé un peu et on est tout de même arrivé à le guillotiner vivant — en se pressant.

CHARLES

Je te dis que pour celui-là il faudra faire vite. Les moribonds ça me connaît. J'ai été garçon de salle à l'hospice Saint-Antoine avant d'être à la Municipalité.

JOSEPH

Il y en a qui ont la peau plus dure qu'on croit. Moi, en septembre 92, j'étais guichetier à la Force quand on a liquidé les prisonniers. Une rude journée! Il faisait une chaleur, pour septembre. Pire qu'au mois d'août.

CHARLES

Il y a des années comme ça. Regarde 89, pas une goutte de pluie depuis Pâques.

JOSEPH

C'était pire qu'en 89, en 92! Ah, ce qu'on a pu suer! Toute une journée à tuer au soleil, c'est long. Il faut dire que les dames du quartier elles ont eu pitié de nous. Elles nous ont apporté des pichets de vin — il y en avait encore à l'époque.

CHARLES *soupire.*

On ne savait pas son bonheur.

JOSEPH, *amer.*

Oui. Enfin c'était pour te dire qu'il y en a qui ont la peau dure. Dans la prison les collègues leur disaient qu'on les transférait pour ne pas avoir d'histoires. Quand ils comprennent que c'est pour mourir, ça fait toujours du désordre sur les rangs. On leur disait de prendre leurs affaires, ça leur donnait confiance et on les faisait passer un à un dans la cour où nous, on les attendait et hop! Hé bien, j'en ai vu un, mon ami, c'était un curé réfractaire, je lève ma hache, je lui fous sur la gueule en plein, il se retourne, il me prend au cou et il se met à m'étrangler avec le crâne ouvert, le salaud. *(Il ajoute, indigné :)* Un curé mon vieux! Et pourtant, j'avais tapé rude, ça giclait, j'en avais partout.

CHARLES

Ta femme a dû faire du joli quand tu es rentré!

JOSEPH

Elle avait l'habitude. Elle savait qu'on se salissait en tuant tout le jour. Elle m'habillait pour. Mais c'est la petite Louison, ma plus jeune — elle avait quatre ans, en 92 — elle revenait justement de la campagne, de la ferme de mon frère. Quand elle me voit entrer comme ça, elle me crie ce bijou : « Papa tu as tué le cochon? C'est-il qu'on va manger du boudin? » *(Ils rigolent tous les deux. Il en essuie une larme, attendri.)* Pauvre gosse! Ça a des mots comme ça; ça ne comprend pas. Du boudin de curé. Ce que ça va chercher tout de même ces petits innocents. *(Il enchaîne.)* Il faut dire que pour les restrictions sur la viande, en 92, ça a peut-être été la plus mauvaise année. Il fallait partir faire la queue en pleine nuit aux boucheries.

CHARLES

Tu trouves que c'est mieux toi, maintenant?

JOSEPH

D'un sens, les queues sont moins longues.

CHARLES

Oui, mais on ne te donne pas plus. Si on ne se débrouillait pas.

JOSEPH

Ah ça! Pour ceux qu'ont pas de parents à la campagne. C'est dur. Et dire que c'est pour ça qu'on a pris la Bastille!

CHARLES *demande.*

Tu y étais toi, à la Bastille?

JOSEPH, *après un temps avec l'ombre d'une hésitation.*

Non. Et toi?

CHARLES, *encore prudent.*

Non plus. Remarque que tout le monde ne pouvait pas y être. Ça aurait fait de l'encombrement. Ça aurait plutôt gêné. Mais j'en connais qui se sont fait faire de faux certificats comme quoi, ils y étaient. Et à eux les bonnes places! Il y a eu un temps où il n'y en avait que pour les bastillards.

JOSEPH

Ça se calme. Mais dans ce temps-là, je vais te le dire, je le disais, moi, que j'y avais été.

CHARLES

Moi aussi.

JOSEPH, *en veine de franchise.*

Et les faux certificats, pour être franc, j'en avais un.

CHARLES, *cligne de l'œil.*

Moi aussi *(mondain soudain reprenant les cartes)*. Et quand on t'a muté au comité, tu as trouvé que c'était mieux que guichetier?

JOSEPH

D'un sens, oui. C'était plus considéré. Mais d'un autre côté à la Force, si tu savais fermer les yeux, les veilles d'exécutions avec les gens qui voulaient se dire adieu, par exemple, tu te faisais de bons pourboires. Il y en a qui ont fait leur pelote au moment des grosses fournées! Et si c'est vrai comme on le dit, qu'on ne va plus exécuter maintenant que le Robespierre il est mort, j'en connais qui la trouveront mauvaise, dans les prisons.

CHARLES

C'est ce que je dis souvent à mon beau-frère qui est au Luxembourg : « Léon, tu es un privilégié. » Il faut dire que c'est du beau monde, beaucoup d'aristos et on peut raconter ce qu'on veut : c'est des gens qui avaient l'habitude du pourboire. Mais j'ajoute : « Il ne faut pas être trop optimiste, on n'arrêtera pas toujours autant. Il y aura la crise, là comme ailleurs. » Et c'est ce jour-là qu'un homme comme toi, il sera bien content d'avoir été muté à la Municipalité.

JOSEPH

Ma femme aussi dit ça.

CHARLES

Réfléchis un peu, c'est logique. Les aristos c'est une vieille histoire. Depuis le temps qu'on en raccourcit ça va finir par s'épuiser, forcément.

JOSEPH

Tu vas vite. Il en reste encore. Je me suis laissé dire qu'ils étaient près de quarante mille en 89, à sucer le sang du peuple.

CHARLES

Peut-être. Mais on ne peut pas tous les pincer. Il y a ceux qui ont émigré, il y a ceux qui se cachent et puis il y a ceux qui se rallient au régime et qui obtiennent des certificats de civisme. C'est là, tu vois qu'est le danger. C'est là, qu'on en perd le plus.

JOSEPH

On est trop large pour les certificats, on aurait dû n'en donner qu'au peuple.

CHARLES

Tu sais ce que c'est. Il y en a d'autres qui pensent à se faire des pièces et des plus gros que nous. Ici à la Municipalité on en voit de drôles, mais ça, il ne faut pas en parler, ça peut coûter trop cher. N'empêche que les aristos finis, qu'est-ce qui te reste pour les prisons? Les Girondins? Ça a été un feu de paille. On a cru que ça allait faire beaucoup, mais ça ne s'est pas étendu, me disait mon beau-frère. On a eu une saison où il y a eu un peu de monde, c'est tout. Je te parle du Luxembourg, je ne sais pas ailleurs.

JOSEPH

A Lyon et à Nantes, il paraît que ça a été très bon.

CHARLES, *désabusé.*

Oh! un été... Et après, on est revenu à la moyenne. Les autres, ils s'étaient blanchis. Car il ne faut pas l'oublier, le suspect, lui, il n'a qu'une idée, c'est de ne pas se faire prendre! Les Enragés, les Hébertistes. Ça ne pouvait pas donner un gros mouvement non plus. C'était limité comme public. Danton et ses amis, pareil. Ça a fait du bruit parce que Danton était une grande gueule et qu'on avait beaucoup parlé de lui, mais ça ne s'est pas étendu tellement. Et pour finir, tout le mouvement venait de Robespierre. Le voilà mort. D'ici qu'on vide les prisons, il y a pas loin, et un employé de prison qui se faisait dans les sept à huit livres par jour avec la riche clientèle...

JOSEPH, *l'interrompant.*

C'est beaucoup.

CHARLES

Ça s'est vu, m'a dit mon beau-frère dans les bons jours du Luxembourg... Il te retombera à vingt-cinq sous par jour, moins que nous ici. Je te le dis que tu le regretteras pas de t'être fait muter.

JOSEPH, *soucieux.*

Peut-être bien, après tout.

CHARLES

D'abord, le peuple, lui, il en a assez de la guillotine! *(Il a un coup d'œil inquiet à Robespierre étendu et continue mystérieux.)* Il y a eu des pétitions. Ça ne s'est pas dit, mais, moi ici, je suis bien placé pour le savoir. On a protesté. Ça a commencé par la rue Saint-Honoré; le passage incessant des charrettes, ça avait fini par troubler le commerce! On a changé d'itinéraire, mais maintenant, c'est les quartiers où il y a des cimetières qui ne veulent plus. Les gens, à la longue, ils trouvent que ce n'est pas sain, tous ces cadavres. Ils craignent les épidémies. Mets-toi à leur place! Ils ont des gosses, eux aussi! Dans le quartier de la Madeleine, ils ont fini par se révolter, à la longue. Les fosses débordaient, ça devenait malsain.

JOSEPH

Il paraît qu'ils mettent de la chaux?

CHARLES

Penses-tu! Ça ne fait rien la chaux, ça pue quand même. Alors, à partir de Danton, on les a portés aux Monceaux, les suppliciés. Mais va te faire foutre, ils n'ont pas prévu assez grand — c'est toujours la même chose en France : manque d'ambition — c'est déjà plein. Et ils commencent à protester dans ce quartier-là aussi. Tu comprends, on peut exécuter, c'est entendu, mais il faut tout de même pas se moquer du monde! Je te dis que le peuple en a assez. Il commence à penser à sa santé, le peuple. Résultat, on va tuer de moins en moins, et toi, tu auras misé sur le bon cheval.

JOSEPH, *qui regarde Robespierre.*

Tiens. Il a bougé, ton client.

CHARLES

Un coup de chance, ils le tueront vivant. Tu iras, toi?

JOSEPH *a un geste.*

Oh! tu sais, les exécutions. C'est plus l'enthousiasme du début. C'est toujours pareil. Ma femme, aux premières, elle était enragée. Dès le matin, elle filait là-bas avec son tricot pour être bien placée. Le ménage en souffrait. Elle s'en est lassée, comme les autres...

Robespierre s'est soudain dressé et a été se jeter dans un fauteuil proche. Les deux hommes bondissent.

CHARLES

Hé là, citoyen! Où c'est que tu vas?

ROBESPIERRE

Dans le fauteuil. Je ne veux pas rester couché.

CHARLES *se retourne vers Joseph.*

On le laisse?

JOSEPH

Boh! On nous a pas commandé de l'empêcher de s'asseoir. Ça nous est égal à nous qu'il soit assis, s'il se sauve pas. Seulement, si tu essaies de te sauver, citoyen, nous autres, on ne connaît que la consigne.

ROBESPIERRE *a un faible sourire, il dit doucement.*

Où voulez-vous que j'aille?

JOSEPH

Ça c'est sûr. Ici, c'est gardé. C'est pas le gâchis d'hier soir à l'Hôtel de Ville où n'importe qui pouvait entrer. Ici, il y a des ordres.

ROBESPIERRE *regarde autour de lui.*

Comment m'a-t-on transporté au Comité?

JOSEPH

Sur une planche.

ROBESPIERRE *dévisage Joseph et dit soudain mystérieusement.*

Je te reconnais. Quand nous avons tenu séance hier soir, c'est toi qui gardais la porte.

JOSEPH

Oui.

ROBESPIERRE

Et tu me gardes, maintenant?

JOSEPH

Oui.

ROBESPIERRE *demande soudain.*

Qu'est-ce que je vous ai fait?

JOSEPH

A nous? Rien.

ROBESPIERRE *a un geste vague.*

A eux?

JOSEPH *a un geste aussi.*

Ça, c'est de la politique. Nous, on fait notre travail, c'est tout. Danton, non plus, il nous avait rien fait. Mais il y avait l'ordre : on l'a arrêté quand même. Nous, on fait ce qu'on nous dit. A vous de vous débrouiller pour être ceux qui le donnent, l'ordre. Tout tient à ça. Il paraît que maintenant c'est le citoyen Tallien qui commande. Qu'est-ce que tu veux qu'on y fasse, nous?

ROBESPIERRE

J'ai mal. Je voudrais de l'eau pour étancher le sang de ma blessure.

Les deux hommes se regardent.

CHARLES

On n'a pas dit non plus qu'on ne pouvait pas lui donner de l'eau. Je vais tâcher de lui trouver une cuvette. Surveille-le.

Robespierre reste seul avec Joseph qui fait un instant les cent pas, puis s'installe à califourchon sur une chaise et s'endort.

ROBESPIERRE, *doucement.*

Je ne parlerai pas. Ils n'entendront plus ma voix. Danton a crié jusqu'au bout, il a fait jusqu'au bout des mots de théâtre pour que les hommes se les redisent après. Comédien. Moi, ils ne sauront jamais ce que j'ai pensé à partir du moment où cette petite brute m'a tiré son coup de pistolet en pleine face... Je l'ai regardé pendant qu'il tirait. C'est étrange, j'ai eu beaucoup de temps pour le regarder. Il n'avait pas vingt ans. Il était beau comme un archange, on aurait dit Saint-Just. Il me semble, il me semble, oui, que j'aurais eu le temps de lever le bras et de faire dévier l'arme, mais je n'ai pas bougé. J'ai laissé la douleur s'épanouir en moi, soudain, comme une grande fleur rouge. Cela a été aigu, mais pas très long, et tout de suite après je me suis senti en paix sur cette table où ils m'avaient couché. En paix, pour la première fois. *(Un silence. Joseph ronfle maintenant sur sa chaise. Robespierre achève doucement :)* Tout ce bruit, tous ces gestes, cette fureur et cette agitation, cette haine et ces blessures, ce n'était rien que cela et voilà que cela se mettait en ordre sur cette table, en finissant. A mesure que mon sang par le trou de ma mâchoire s'écoulait, je sentais, une à une, se fermer en moi toutes mes autres plaies. Encore un peu de sang, encore un peu de vie et j'allais être guéri, enfin! *(Un temps, il ajoute mystérieusement :)* Tout est juste. Mais cela a été long de l'apprendre.

Le régent du collège — un Père jésuite qui a les traits du roi — et le petit Robespierre entrent au fond. C'est le grand Robespierre qui prononce les répliques du petit garçon sans paraître voir le Père jésuite.

LE RÉGENT *qui tient des verges à la main.*

Robespierre, vous êtes un excellent élève, mais pas assez respectueux.

LE PETIT ROBESPIERRE

J'obéis en tout, mon Père.

LE RÉGENT

Votre esprit n'est pas assez respectueux. Il y a dans votre esprit quelque chose de raidi qui m'inquiète. Nous vous apprendrons la souplesse.

LE PETIT ROBESPIERRE

Oui, mon Père.

LE RÉGENT

Vous dites oui et il y a dans votre esprit quelque chose qui dit non. Nous ne nous contenterons pas de votre soumission apparente, Robespierre. Nous vous châtierons jusqu'à ce que votre esprit dise oui.

LE PETIT ROBESPIERRE, *après un temps.*

Comment le saurez-vous, mon Père?

LE RÉGENT, *doucement.*

Voilà une question, Robespierre, pour laquelle vous aurez dix coups de verge de plus. Maintenant, je vais vous répondre. Nous le saurons lorsque nous ne nous sentirons plus gênés par vous. Vous êtes un petit grimaud, Robespierre. Vous êtes ici par charité, parce que votre pauvre père nous a loyalement servis durant sa vie dans ses fonctions de juge au Tribunal Ecclésiastique — vous êtes de très loin notre meilleur sujet; pourtant, avec toutes vos qualités : vous nous gênez. Et nous sommes obligés de vous châtier. Vous savez pourquoi le Père de Breteuil vous a infligé ces dix coups de verge que je m'en vais vous administrer, plus dix de ma part pour votre question insolente, de tout à l'heure? Défaites-vous, je vous prie.

LE PETIT ROBESPIERRE, *qui commence à défaire ses vêtements.*

Oui, mon Père. Je le sais.

LE RÉGENT

Le ton même de votre réponse montre que vous ne le savez pas. Ou plutôt, car vous êtes trop intelligent pour ne pas comprendre tout, que vous ne voulez pas le savoir. Vous allez être fouetté, Robespierre, parce que vous êtes pauvre et que vous en faites un sujet d'orgueil.

LE PETIT ROBESPIERRE

Oui, mon Père.

LE RÉGENT

Tournez-vous. Mettez-vous commodément sous mon bras. Je vais vous dire le vrai Robespierre. Vous allez être fouetté pour ce qui mériterait récompense chez un autre, pour votre obstination à être toujours premier. Parce que nous savons fort bien que chaque prix d'excellence que vous nous arrachez est une vengeance de votre orgueil, pour nous faire payer notre charité.

LE PETIT ROBESPIERRE

Oui, mon Père.

LE RÉGENT

Tournez-vous. Mettez-vous commodément sous mon bras. Nous briserons nos verges, Robespierre, ou votre esprit. Et tous les éducateurs diront qu'une verge brisée se remplace indéfiniment. *(Il le bat vigoureusement. Le visage du petit Robespierre reste impassible. Robespierre s'est seulement levé de son fauteuil, tout pâle.)* Voilà. Vos condisciples supplient. Les plus orgueilleux laissent au moins échapper un cri. J'ai été fouetté. Je sais combien c'est douloureux. Mais nous briserons aussi votre silence, Robespierre. Rajustez vos vêtements. *(Le petit Robespierre commence à se rajuster, en silence. Le Régent le considère un peu, une cloche sonne très loin.)* Voici bientôt l'heure de la visite de Monseigneur l'évêque qui va certainement vous féliciter pour votre extraordinaire composition en vers latins. Après votre petit triomphe devant tous vos condisciples et vos maîtres réunis, vous reviendrez dans mon bureau dénuder cette partie ridicule de notre corps où nous avons placé la honte et recevoir les dix coups de verge que je vous dois encore.

LE PETIT ROBESPIERRE

Oui, mon Père. Je puis disposer maintenant?

LE RÉGENT *le considère.*

Je voudrais faire de vous un être humain, Robespierre. Je voudrais creuser en vous quelque petite faille. Je vous autorise à me demander votre pardon et la remise de votre peine. Je suis tout prêt à examiner favorablement votre demande à la faveur de cette composition en vers latins qui va faire honneur à notre collège. *(Il y a un petit silence.)* Je ne vous demande pas une démonstration pénible. Un mot suffirait. *(Un silence encore.)* Après tout, vous êtes bien jeune... Vous n'avez peut-être pas exactement compris pour quelle raison j'ai jugé bon de vous infliger cette punition supplémentaire?

LE PETIT ROBESPIERRE, *doucement.*

Si, mon Père.

LE RÉGENT

C'est bien. Vous pouvez regagner votre classe. Je vous attends dans mon bureau après la visite de Monseigneur. *(Il jette ses verges avec une sorte de dépit.)* Ces verges s'usent. Je m'en ferai donner de neuves. *(Le petit Robespierre s'en va vers sa classe. Il le regarde partir et appelle encore doucement :)* Robespierre! Si vous oubliiez de venir; j'ai beaucoup à faire en cette fin de trimestre. Il se pourrait que j'oublie aussi. Je vous propose là une nuance.

LE PETIT ROBESPIERRE *se retourne sur le seuil et dit simplement.*

Je viendrai, mon Père, dès que Monseigneur sera parti.

Il est sorti. Le Père jésuite joint soudain les mains et dit :

LE RÉGENT

Mon Dieu, pour la part du moins dont il vous est redevable, allégez le fardeau d'orgueil de cet enfant.

Il se signe et sort de son côté.

Quand il est sorti, Robespierre va jusqu'aux verges, il les regarde, les touche du pied, puis les ramasse du bout des doigts avec une sorte de curiosité effrayée et les repose. Il va chercher le chapeau melon de Bitos et son petit pardessus noir qui étaient dans un coin. Il les met et va s'asseoir timidement, sur le bord des fesses, sur une chaise. Il semble attendre quelqu'un avec crainte. Il se lève et dit d'une voix blanche comme quelqu'un qui répète un discours.

ROBESPIERRE

Monsieur, je suis un jeune député de la circonscription d'Arras.

Sa voix meurt de timidité. Il se rassoit sur le bord de sa chaise et recommence à attendre. Mirabeau entre soudain marchant vite, il est en robe de chambre, élégant et léger dans sa lourdeur. Il est à l'aise, ce qui fait le plus grand contraste avec Robespierre.

MIRABEAU, *la main tendue.*

Je vous ai fait attendre, jeune homme? Je recevais une délégation charmante et un peu encombrante, les Dames de la Halle qui venaient m'apporter des fruits et du poisson pour me féliciter de mon discours. *(Il sourit.)* Vous voyez que le métier d'homme public comporte de menus avantages :

on est nourri. Mais excusez-moi pourtant de vous avoir fait attendre. *(Il lui désigne gracieusement un siège, Robespierre s'assoit raide.)* Vous avez désiré me voir?

ROBESPIERRE *reprend son discours préparé.*

Monsieur, je suis un jeune député de l'Assemblée constituante où je représente la circonscription d'Arras.

MIRABEAU

Ah oui! Vous me l'avez écrit. Maximilien de Robeterre.

ROBESPIERRE, *rectifie.*

Robespierre.

MIRABEAU *a un geste gracieux, souriant.*

Robespierre, c'est vrai. Excusez-moi. J'ai une mauvaise mémoire des noms, mais je n'oublie jamais les visages. Vous avez parlé déjà? Je crois vous avoir vu à la tribune...

ROBESPIERRE

J'ai eu l'honneur d'intervenir dans le débat du 30 mai.

MIRABEAU, *gentil.*

C'est juste. On ne vous a pas beaucoup écouté. Voix un peu faible, diction encore incertaine... Je vous donnerai des conseils. Il faut nous résigner à soigner nos effets comme des ténors. Et puis, je ne vous l'apprends pas, nous avons beaucoup de bavards à l'Assemblée. J'en avais un moi-même à côté de moi qui m'a empêché de tout bien goûter... Sur quoi avez-vous donc parlé au juste?

ROBESPIERRE *esquisse un sourire.*

Sur le mariage des prêtres, monsieur. J'ai demandé à l'Assemblée qu'ils eussent le droit de se marier.

MIRABEAU *le regarde surpris, un peu narquois.*

Très intéressant. Évidemment, il n'y avait pas une urgence particulière...

ROBESPIERRE, *doucement.*

Je vous demande pardon. Il y avait urgence, monsieur.

MIRABEAU *éclate de rire.*

Vous croyez que cela les presse tellement? Vous savez, ils s'arrangeaient tant bien que mal jusqu'ici. Ils peuvent continuer encore un peu à caresser leur servante en attendant qu'on s'occupe d'eux. La Révolution a d'autres chats à fouetter.

Il lui tape gentiment sur l'épaule, tirant sa tabatière.

Croyez-moi, jeune homme, vous n'aviez pas bien choisi le sujet de votre premier discours.

ROBESPIERRE, *insistant.*

Si, pourtant, monsieur...

MIRABEAU *lui tendant sa tabatière.*

Vous prisez?

ROBESPIERRE

Non.

MIRABEAU

Vous avez tort, cela éclaircit les idées. Je vous remets tout à fait maintenant : Maximilien de Robenpierre.

ROBESPIERRE *rectifie.*

Robespierre.

MIRABEAU, *nullement démonté.*

Robespierre. C'est ce que je voulais dire. Vous

m'êtes très sympathique. Je sais qu'on se moque un peu de vous, à l'Assemblée; vos ennemis bien sûr, mais vos amis aussi, ce qui est humain. Il faut toujours que les Assemblées se choisissent une tête de Turc, cela détend. Tâchez que ce rôle ingrat échoie à quelqu'autre. Meilleure diction d'abord, je vous l'ai dit. Il y a aussi en vous quelque chose d'un peu dogmatique, d'un peu pédant, d'un peu guindé, disons le mot, d'un peu ennuyeux, qui indispose. *(Il se lève.)* Il faudra revenir me voir un jour où j'aurai davantage de temps, je vous donnerai quelques ficelles. Ce n'est pas tout d'avoir des principes, mon bon. Après tout, nous sommes au théâtre. Il est dit que cette Révolution se ferait par la parole. Il faut donc apprendre le métier de tragédien. *(Il le pousse gentiment dehors.)* Revenez, vous me ferez toujours plaisir. Revenez un matin. Et choisissez mieux vos sujets de discours.

ROBESPIERRE, *résistant.*

Pardonnez-moi d'insister, monsieur... Mais je voulais vous dire que cette proposition sur le mariage des prêtres cela pouvait faire plaisir à une grosse partie du bas-clergé...

MIRABEAU, *un peu impatienté.*

Je n'en doute pas... Et je discuterais de cela bien volontiers avec vous un autre jour, monsieur, mais je suis très pressé aujourd'hui. *(Il dit assez condescendant avec un sourire.)* Je vais vous dire mon secret, je n'ai pas encore déjeuné...

ROBESPIERRE, *avec un sourire humble, qui est presque une grimace.*

Je sais que je suis très lourd en m'incrustant. Je suis lourd. C'est une des autres raisons pour lesquelles on se moque de moi à l'Assemblée... Je voulais seulement vous dire, monsieur, que la force, la force dont nous avons besoin, ne peut pas être le fait d'un seul homme, eût-il du génie comme vous, monsieur. Le clergé inférieur compte en France quelque quatre-vingt mille prêtres qui sont des électeurs puissants. On peut penser ce que l'on veut de l'urgence de leur droit au mariage mais les marier, c'est la seule façon de les rattacher à la Révolution et de les soustraire à certaines influences.

MIRABEAU, *qui avait déjà ouvert la porte, se retourne et le contemple.*

Vous êtes un drôle de pistolet. C'est ça que vous vouliez dire à la tribune. Pourquoi ne l'avez-vous pas dit?

ROBESPIERRE, *humble.*

Je l'ai dit. Mais je n'ai pas su me faire entendre. Moi je n'ai pas de génie, monsieur...

MIRABEAU, *qui le regarde.*

Où est donc la force, selon vous?

ROBESPIERRE, *dont l'œil a brillé doucement.*

Chez les médiocres, monsieur, parce qu'ils sont le nombre.

MIRABEAU, *sourdement, après un temps.*

Je n'aime pas les médiocres.

ROBESPIERRE, *doucement encore.*

Nous avons besoin d'eux. Ce que nous avons à faire ne se fera que par eux.

MIRABEAU, *rêvant, murmure.*

Pour eux, peut-être. Nous sommes en train de nous battre pour leur redonner une place au soleil. Pas par eux.

ROBESPIERRE, *plus doucement encore.*

Pourquoi pas par eux?

MIRABEAU

Parce qu'ils sont trop près des petites choses.

ROBESPIERRE

Est-ce leur faute?

MIRABEAU

Non, mais c'est un fait. Et la politique ne sera jamais que l'interprétation des faits. Leur donner le pouvoir c'est risquer de les voir se perdre dans des problèmes secondaires à la mesure de leurs courtes vues; dans des revendications particulières. Celui qui gouverne doit prendre un peu de hauteur. Et leur vie ne les a point accoutumés à la hauteur.

ROBESPIERRE, *soudain âpre.*

C'est pourtant par ces médiocres-là, que la Révolution sera faite, que cela vous plaise ou non, à vous et à vos semblables!

MIRABEAU *le toise,*
surpris de ce changement de ton.

Qui vous autorise à me parler sur ce ton, mon petit ami?

ROBESPIERRE, *dans un sifflement haineux,*
qui le transforme soudain.

J'en suis un!

MIRABEAU *va à lui, lourd, goguenard,*
il lui prend le bras.

Alors, écoutez-moi bien. J'aimerais mieux aller vivre à Constantinople, chez le Grand Turc, que de voir six cents médiocres faire ou défaire la France; se déclarer inamovibles peut-être, au nom des quelques millions de médiocres qui les ont nommés, qui sait même héréditaires! Qui pourrait les empêcher? Une aristocratie de médiocres? Pouah! et avec ceux-là, soyez tranquille, pas de nuit du 4 Août en perspective!

ROBESPIERRE, *venimeux.*

Pourtant, si ces quelques millions de médiocres, qui les ont nommés, sont la France, monsieur?

MIRABEAU *tonne.*

Ils l'habitent! Mais ce n'est pas eux qui l'ont faite! Vous croyez que cela s'est fait comme on tient une boutique, la France? Les hommes qui ont fait la France n'avaient de commun avec eux que d'avoir deux bras et deux jambes, comme eux, mais j'ai le regret de vous l'apprendre, une tête qui les dépassait.

ROBESPIERRE *se démasquant soudain.*

Dans les années qui vont venir, nous allons devoir nous employer à les couper, ces têtes qui dépassent. L'ignoreriez-vous, monsieur le comte de Mirabeau?

MIRABEAU, *hors de lui soudain.*

Le comte de Mirabeau t'emmerde, galopin, comme il a emmerdé les comtes de Mirabeau de sa famille depuis qu'il a l'âge de comprendre, et c'est pour ça qu'il s'est fait élire par le Tiers! Et il ne permet pas à un petit foutriquet de venir le juger maintenant! *(Il se maîtrise soudain et dit plus calmement :)* Foutez-moi le camp, monsieur. Vous me feriez mettre hors de moi, en vérité. Et j'aurais scrupule à botter le derrière d'un de mes collègues à l'Assemblée constituante. Je suis très violent quand je suis en colère. J'ai fait le coup de poing avec monsieur mon père qui m'a fait faire quatre ans de Bastille à cause de cela. Oui. Je ne m'en suis pas vanté, mais, en 89, j'étais un des rares d'entre nous qui y avait été à la Bastille. *(Il lui a pris le bras et l'entraîne vers la porte, calmement. Robespierre suit, résistant un peu.)* C'est pour venir me dire des aménités de cet ordre que vous aviez demandé à me voir?

ROBESPIERRE, *tordu de haine.*

J'étais venu vous voir parce que je vous admirais!

MIRABEAU, *avec une humeur joyeuse.*

Hé bien, cela vous fera un poids de moins. C'est toujours lourd l'admiration.

ROBESPIERRE *siffle.*

Maintenant, je vous hais!

MIRABEAU, *souriant.*

Soit. Cela donnera peut-être un peu de tonus à votre prochain discours. Soignez votre diction, jeune homme, autant que vos haines, si vous voulez être écouté. Et tâchez de plaire! En France, on ne fait rien sans charme. Regardez le pauvre Louis XVI, qui n'en a point, où il en est!

ROBESPIERRE *glapit.*

Je ne veux pas plaire! Je ne plairai jamais à personne!

MIRABEAU

Cela, je le crains. Je sonne pour qu'on vous reconduise.

Il sonne.

ROBESPIERRE *crie, tordu de haine.*

Je n'ai pas besoin que vos valets me reconduisent!

Il crache par terre.

MIRABEAU, *navré.*

Mon petit ami, où diable avez-vous pu apprendre à cracher sur les tapis des gens? On peut faire la Révolution et être poli, il me semble?

ROBESPIERRE *lui crie encore.*

Non!

MIRABEAU *hausse les épaules.*

Pour vous le prouver, je vous raccompagnerai moi-même, jusqu'à votre voiture.

ROBESPIERRE

Je n'ai pas de voiture!

MIRABEAU, *léger, le poussant gentiment dehors.*

Ne vous en vantez pas! C'est très incommode.

ROBESPIERRE, *cramponné à la porte, on ne sait pas pourquoi.*

Si je m'en vante!

MIRABEAU, *résigné.*

Hé bien, je vous laisse là, puisque vous ne voulez plus avancer. *(Il le regarde avant de sortir.)* Vous m'avez appris une bien triste chose, monsieur, que la Révolution pouvait être ennuyeuse. Je la croyais jeune et gaie.

ROBESPIERRE *crie, le regardant partir.*

Léger! Vous êtes légers, tous! Un mot d'esprit, vous console de tout. Il faudra bien un jour que la France cesse d'être légère, qu'elle devienne « ennuyeuse » comme moi pour être propre enfin!

Il se brosse soudain, nerveusement. Saint-Just est entré brillant, léger, à l'aise, lui aussi. Il voit Robespierre.

SAINT-JUST

Tu te brosses encore? *(Robespierre, comme pris en faute, s'arrête. Saint-Just avise les verges aux pieds de Robespierre et les ramasse.)* Des verges! Tu crois que c'est avec des verges que tu obtiendras de ces enfants sinistres qu'ils cessent de jouer avec tout? As-tu repensé à notre conversation d'hier?

ROBESPIERRE

Oui.

SAINT-JUST

Danton a dit hier, chez Véfour, il est vrai qu'il était avec des femmes, mais Danton est toujours avec des femmes, qu'un jour la République, hors de péril, pourrait être un Henri IV et faire grâce... Ce n'est qu'un mot. Et nous sommes payés tous pour savoir ce que valent les mots, nous ne faisons que ça. Mais celui-là, après ton discours de la semaine dernière où tu as demandé à l'Assemblée une sévérité accrue, est une véritable provocation. Tu vas la laisser passer?

ROBESPIERRE *détourne le regard.*

Danton a été longtemps mon compagnon de lutte... Camille est encore mon ami.

SAINT-JUST *sourit.*

Ton ami? Tu as lu le dernier numéro du *Cordelier?* Il te ridiculise! Tiens, il est tout frais. Il tache les mains.

Robespierre lui arrache le journal et commence à lire. Il crie soudain :

ROBESPIERRE

Il a osé?

SAINT-JUSTE, *calme.*

Ah! Tu commences à t'émouvoir. Je savais que pour te toucher il fallait t'atteindre dans ta vanité d'homme de lettres. C'est ce qu'il y a de plus authentique chez toi.

ROBESPIERRE *marche sur lui, criant.*

Saint-Just, je ne permettrai pas!

SAINT-JUST, *toujours calme et souriant.*

Dieu soit loué! Ils ont su te blesser au point où tu es le plus sensible. Ils sont perdus, cette fois.

ROBESPIERRE, *plus sourdement, après un temps.*

Ce que tu me demandes de décider est horrible. Je n'ai jamais aimé Danton, c'est vrai. *(Il crie :)* Danton est un porc, puant, vaniteux, comédien, pourri!

SAINT-JUST

Du calme. Réserve-toi pour la tribune. Tu vas éventer ton indignation.

ROBESPIERRE

Mais Camille est un enfant. Imprudent, léger, vicieux, certes...

SAINT-JUST, *doucement.*

On meurt pour beaucoup moins que cela, en France, de nos jours. Cet enfant léger et vicieux oublie le premier que tu l'as aimé et qui tu es. Il mord cruellement, le jeune chien. Tu veux que je te lise son article? C'est amusant, d'ailleurs, et bien écrit. Il ne manque pas de talent.

Robespierre lui arrache le journal des mains et le déchire en criant :

ROBESPIERRE

Non! *(Il se tait un instant, puis il dit sourdement :)* C'est peut-être trop tôt. Nous venons tout juste de frapper Hébert.

SAINT-JUST

Un coup à gauche, un coup à droite, c'est comme cela qu'on va droit. Tu n'as jamais fait de bateau sur la Marne, chez la Mère Catherine? *(Robespierre se tait.)* Ton hésitation fait honneur à ta sensibilité, Robespierre. Tu es un fils de Rousseau, je le sais. Moi aussi, je suis sensible. Nous sommes tous sensibles. Je suis sûr qu'on ne retrouvera jamais en France un groupe d'hommes politiques qui aient versé autant de larmes que nous. Mais aujourd'hui est aujourd'hui et demain est demain. Nous nous laisserons aller à notre sensibilité plus tard, quand nous aurons nettoyé le monde. Notre devoir est ailleurs aujourd'hui. Danton, Camille et l'indulgence sont de trop. Tu le sais aussi bien que moi.

ROBESPIERRE, *sourdement soudain, après un temps.*

C'est toi qui parleras contre eux. Moi je ne le pourrais pas. L'amitié est un sentiment qu'on ne bafoue pas impunément.

Il se brosse soudain nerveusement, comme agité d'un tic.

SAINT-JUST, *doucement.*

Ne te brosse donc pas toujours ainsi. Quelle manie as-tu là. Tu es propre. *(Il tire ses tablettes.)* Les éléments de l'accusation? Si tu veux que j'attaque demain au Comité, nous n'avons pas de temps à perdre.

Le regard de Robespierre le fuit, puis il lui tend soudain un papier qu'il tire de sa poche.

ROBESPIERRE

Les voici. Je les avais préparés depuis huit jours.

SAINT-JUST *sourit.*

Tu aurais pu m'épargner la peine de te convaincre. *(Il ferme ses tablettes.)* Je vois sur mes tablettes que nous devions dîner avec eux ce soir, à la campagne, chez Tallien; je décommande?

Dans la pénombre, à la table, les hôtes du dîner

s'installent et commencent à allumer les flambeaux.

ROBESPIERRE, *après un silence.*

Non. Sur un plan strictement humain, cela serait convenable. Mais nous n'avons pas le droit de leur donner l'éveil quelques heures avant ce combat. Ne décommande pas. Nous ferons, au bien de la nation, sacrifice de cette épreuve pénible.

SAINT-JUST *éclate soudain de rire et lui dit, passant nonchalamment à table.*

Tu es un personnage admirable, Robespierre! Je ne me lasse pas de te voir vivre. Et ce sera peut-être le secret de ma fidélité pour toi jusqu'à la mort : tu m'amusais...

ROBESPIERRE *gronde entre ses dents.*

Prends garde, Saint-Just!

SAINT-JUST

A quoi? On n'a qu'une tête. Et il y a longtemps qu'en ta compagnie je l'ai misée. *(Il ajoute en riant de la table, la scène s'enchaînant sur le dîner.)* Et puis tu as tellement besoin de moi pour te faire souffrir...

Robespierre, qui a enlevé le pardessus de Bitos et son chapeau melon, va à son tour vers la table du dîner où les autres l'accueillent se moquant de son air guindé aux accents de Cadet Rousselle.

DANTON *s'arrête soudain de rire et de chanter avec les autres, avisant Robespierre. Il crie :*

Mes amis! Il y a un traître parmi nous! Robespierre ne boit pas. Il faut que Robespierre boive!

ROBESPIERRE, *l'écartant d'un geste.*

Je n'ai pas soif.

DANTON

Ah! Tu n'as pas soif? *(Il se lève, ironique et portant un toast.)* A la République Une et Indivisible. Te voilà pris! Tous ceux qui refusent de trinquer sont des contre-révolutionnaires! Demain, ça sera dans tous les journaux. Un titre gros comme ça. Compte sur Hébert. A un dîner de patriotes : Robespierre refuse de boire à la République.

ROBESPIERRE

J'ai mal à l'estomac. J'ai trop bu.

DANTON

Bois tout de même, petit curé. Mal à l'estomac, de nos jours, c'est moins dangereux que mal à la tête... Si tu ne bois pas, je le dirai à Hébert, qui le mettra dans son *Père Duchesne!*

ROBESPIERRE

Hébert a été arrêté cette nuit.

Il y a un silence. La chanson s'arrête. Ils sont soudain un peu dégrisés. Danton demande à Saint-Just :

DANTON

C'est vrai?

SAINT-JUST, *se balançant sur sa chaise.*

Tout ce que dit Robespierre est toujours vrai, vous le savez bien.

DANTON

Quand cela a-t-il été décidé?

SAINT-JUST *le marque.*

Au Comité, cet après-midi.

DANTON *tonne soudain, tapant sur la table.*

Pourquoi n'ai-je rien su?

ROBESPIERRE, *froid.*

Où étais-tu la nuit dernière? On t'a cherché.

DANTON *sourit, il a un geste large.*

Chez les filles, c'est vrai. Il faut que je te raconte ça, petit curé. J'ai trouvé une fille étonnante au Palais-Royal. Un phénomène, un monstre... Elle est laide, mais quand tu la déshabilles...

ROBESPIERRE, *raide.*

Garde tes ordures pour toi!

DANTON

Vénus Callipyge, mon cher! Quelque chose d'admirable et de monstrueux. Elle avait entôlé je ne sais trop qui, sous l'Ancien Régime et tu sais où le bourreau qui était facétieux la lui avait mise sa fleur de lis?

ROBESPIERRE, *dressé hors de lui,*
au bord de la crise de nerfs.

Je t'ordonne, tu entends, je t'ordonne de te taire!

DANTON, *gracieux.*

Pourquoi? Tu veux m'accuser d'être royaliste à cause de ça? Remarque, que si la Révolution était plus vigilante elle aurait dû lui tamponner un bonnet phrygien sur l'autre fesse. Je suis d'accord avec toi. Il y a là une sorte de complot dont tu devrais bien t'occuper, Robespierre. Je soupçonne ce cul-là, d'être un rendez-vous d'aristocrates.

ROBESPIERRE *glapit.*

Danton, ne crois pas que tu pourras toujours impunément bafouer tout!

DANTON, *gracieux sous son nez.*

Qu'est-ce qui te chiffonne le plus dans mon cas, la fleur de lis ou le cul de la fille?

CAMILLE *demande soudain.*

Qui a demandé la mise en accusation d'Hébert?

SAINT-JUST, *doucement.*

Moi. En plein accord avec Robespierre et à l'unanimité des voix du comité. Le salut de la nation voulait qu'il fût mis un terme aux provocations des exagérés... C'est trop facile d'exploiter la disette et d'en appeler directement au peuple; de reparler d'insurrection. Il faut tout de même s'habituer à laisser le peuple tranquille. Surtout, maintenant, que c'est nous qui gouvernons. Le comité a approuvé ma liste.

DANTON, *dans son verre.*

Et qu'est-ce que c'est ta liste?

SAINT-JUST

Hébert, Ronsin, Chabot, Clootz, Montmoro, Hérault de Séchelles, tous convaincus de royalisme.

DANTON *hurle soudain, jetant son verre.*

Ah! foutre! *(Il étouffe, il gueule.)* Je sais qu'il faut encore tuer et je les déteste comme toi. Mais royalistes, ces gens-là?

SAINT-JUST, *léger.*

Royalistes, Danton! Qui l'eût cru, n'est-ce pas? Jusqu'à hier vous pouviez vous poser la question, mais maintenant que le Comité en a été convaincu, il serait malsain de le faire.

DANTON

Royaliste aussi le bon Clootz? Saint-Just, petite vipère élégante, jusqu'à la fin des temps on ne saura probablement pas qui tu étais — dandy, pince-sans-rire ou archange exterminateur — mais une chose est sûre, c'est que tu étais très intelligent et que...

SAINT-JUST *le coupant, froidement.*

Et que c'est parce que je suis très intelligent que

j'ai réussi à mettre Anacharsis Clootz sur une liste royaliste, ainsi qu'Hérault de Séchelles, votre ennemi. Plaignez-vous. Et Fabre d'Églantine que j'oubliais! Pour celui-là, c'est encore plus simple, il a volé.

DANTON *gueule.*

Hérault est mon ennemi, mais il n'est pas royaliste! Je le proclamerai!

SAINT-JUST *hausse les épaules.*

Vous êtes un enfant, Danton.

CAMILLE, *qui s'est dressé.*

Et Fabre n'a point volé! *(Il se retourne vers lui.)* Robespierre!

ROBESPIERRE

Oui.

CAMILLE

Tu le sais, toi, que Fabre n'a point volé!

ROBESPIERRE, *impénétrable.*

Mon opinion personnelle est sans importance. Je sais que le Comité a décidé que Fabre avait volé, un point c'est tout!

CAMILLE *crie, angoissé.*

Mais, nous n'avons donc plus le droit d'être des hommes?

ROBESPIERRE, *froid.*

Que veux-tu dire par là?

CAMILLE

Cette intelligence et cette raison avec lesquelles nous avons voulu refaire le monde. Nous devons les faire taire maintenant?

ROBESPIERRE, *tranchant.*

Quand le Comité de Salut public a décidé, sans doute.

CAMILLE

Quand nous sommes montés sur nos chaises et que nous avons parlé au peuple pour la première fois au Palais-Royal, c'était pour demander que cette intelligence et cette raison fussent toujours les plus fortes contre le despotisme et l'arbitraire. Et c'est pour cela que le peuple nous a suivis.

ROBESPIERRE, *doucement.*

Nous avons tué l'arbitraire, ne l'oublie pas.

CAMILLE

Nous ne l'avons pas tué! Il renaît, pareil à lui-même, de l'orgueil de quelques-uns. Quelle différence entre l'arbitraire des ministres de Capet et celui d'une poignée d'hommes que nous avons faits plus puissants qu'eux?

ROBESPIERRE, *calme.*

Je m'étonne que tu ne la voies pas, Camille.

CAMILLE *crie.*

Non. Je ne la vois pas. Je ne la vois plus!

ROBESPIERRE, *un peu sec.*

Cette altération de tes sens pourrait te coûter cher, si tu l'avouais autre part que devant des amis. Je vais t'expliquer la différence. Elle est fort simple et j'espère que tu ne pourras plus ne pas la voir. Lorsque les ministres de Capet prenaient des décisions arbitraires, ils le faisaient au nom de ce qu'ils appelaient la raison d'État. Lorsque le Comité de Salut public prend des décisions qui peuvent te paraître arbitraires, il les prend pour le bien du peuple. Voilà la différence.

CAMILLE

Des mots.

ROBESPIERRE, *sec.*

Ils me suffisent. Et j'espère pour toi qu'ils te suffiront dorénavant.

CAMILLE

L'arbitraire reste l'arbitraire!

ROBESPIERRE

Non. Devrai-je t'apprendre ton catéchisme? Il n'est pas un grimaud de dix ans qui ne le récite mieux que toi dans les écoles de la nation. L'arbitraire des rois est un crime! L'arbitraire des peuples ou de ceux qui le représentent est sacré. *(Il se calme, sourit.)* Je m'étonne de plus en plus que des vérités aussi élémentaires te demeurent encore étrangères. Tu me peines, Camille.

CAMILLE, *doucement.*

Robespierre, nous ne sommes pas à la tribune. Je sais qu'il faut dire les mots et se réfugier parfois derrière leur barrière infranchissable, pour simplifier. J'ai fait la cuisine comme toi...

ROBESPIERRE, *doucement aussi.*

Surveille tes mots, toi aussi, Camille.

CAMILLE

Mais nous sommes entre nous, aujourd'hui, des amis réunis autour d'une table à la campagne pour le délassement d'un soir. Des compagnons de lutte aussi. *(Il ajoute, sourdement :)* Et même davantage tous les deux, tu le sais. J'étais dans les petits, Maximilien, au collège, et tu étais déjà dans les grands. Mais je t'admirais, je t'écoutais, je te suivais partout, je t'aimais.

ROBESPIERRE, *froid.*

Moi aussi, je t'aimais.

CAMILLE *crie soudain, allant à lui.*

Je t'admire et je t'aime encore, Robespierre. Tu veux que je te le demande à genoux? Ouvre-toi. Ne reste pas fermé et hargneux dans cette prison de rigueur et de logique où nous ne pouvons plus t'atteindre. C'est le petit garçon que tu as ébloui autrefois par ton courage et ton intelligence qui te le demande aujourd'hui.

ROBESPIERRE *s'est dressé, relevant brutalement Camille.*

Lève-toi. Cette scène est ridicule. Tu dois être ivre, toi aussi. D'ailleurs, il est tard, nous devons rentrer. *(Il se retourne, souriant vers Tallien et Thérésa.)* Mon cher Tallien, ton hospitalité a été charmante. La citoyenne Tallien est décidément une merveilleuse maîtresse de maison. *(Il sourit, ambigu.)* Il faut rendre cette justice aux ci-devant, ils savaient recevoir leurs amis.

THÉRÉSA, *souriante.*

C'est une menace? Faut-il que je prépare mon petit baluchon dès ce soir, Robespierre?

ROBESPIERRE *lui baisant la main.*

Qu'allez-vous chercher là? Je ne vous faisais qu'un compliment, madame.

DANTON *gueule, éclatant de rire.*

Madame! Il a dit madame? Et il lui baise la main. A Versailles! Nous sommes à Versailles! Ah! avoir vu ça et mourir! Demain! Je veux bien mourir demain!

SAINT-JUST, *toujours nonchalant, sourit.*

Il ne faut jamais dire ça, Danton.

DANTON *qui a été à Robespierre et lui fait des grâces comiques.*

Un vieil habitué des parquets cirés et des révérences! La main des dames! Sacré Maximilien! Il nous cachait ses talons rouges!

Il lui donne une formidable bourrade sur l'épaule; Robespierre chancelle.

ROBESPIERRE

Imbécile!

DANTON *le prenant amicalement par le cou.*

Oui, ce soir, c'est le vin de Tallien, que veux-tu! je me sens d'humeur imbécile... Comme nous avons pu les compliquer les choses avec nos idées... Et elles sont toutes simples, les choses, mon petit Max... Elles obéissent à des lois qui sont vieilles comme le monde, et entre nous, toi et moi, n'y pourrons jamais rien. Nous pourrons toujours rédiger des constitutions! Tiens par exemple, la force, la force physique, quoi de plus bête, mais de plus gentil au fond? Un exemple entre mille autres. Il me vient une idée tout d'un coup, une idée d'ivrogne. Je te prends sous les bras et je te soulève. *(Il le fait.)* Remarque que ce que tu vas m'objecter est juste! Te voilà en l'air; ça n'a absolument aucun sens! Tu gigotes, tu voudrais redescendre. Rien à faire. Tu ne peux pas! Ça c'est simple! Le Comité de Salut public lui-même, quoique l'ayant constaté, n'y pourrait rien. La voilà bien, la vraie inégalité des hommes! Pas la peine de voter des crédits pour graver le mot sur les monuments.

ROBESPIERRE *crie en l'air, gigotant, ridicule.*

Arrête! Arrête! Imbécile; Repose-moi par terre.

DANTON, *criant comme un camelot.*

Je te repose, mais plus fort encore! Je te prends le cou. Toujours facétieux... D'une seule main, citoyens!

ROBESPIERRE *crie, étranglé.*

Arrête, Danton. Tu m'étrangles!

DANTON, *doucement.*

Je le sais bien que je t'étrangle! *(Il le regarde, étranglé.)* Comme ça pourrait être simple, au fond, l'histoire. Mais je ne veux pas nous priver de Robespierre, mes amis! Il nous manquerait. *(Il le lâche.)* Plus simple encore! Le bras, tout simplement, le bras! *(Il lui fait une clé.)* Je tords tout gentiment. Une bonne petite farce entre amis. Pas plus.

ROBESPIERRE, *qui sue à grosses gouttes pour ne pas crier.*

Arrête.

DANTON, *doucement.*

Je parie que dans trois secondes tu vas me demander pardon, Robespierre. Pardon de tout et de n'importe quoi. Du passé et de l'avenir, pardon de ce que je voudrais. Personne n'est plus Romain quand on vous tient le bras comme ça. Caton lui-même appelle sa maman! *(Robespierre grimace les dents serrées, il roule à terre.)* Mes amis, le Comité de Salut public est à terre. Je suis le maître de la France. Dis pardon, Robespierre! Pardon, Robespierre! Dis pardon! Allons, dis pardon!

ROBESPIERRE *se tord de douleur et crie.*

Saint-Just!

SAINT-JUST *s'est levé, froid, il touche l'épaule de Danton de son stick.*

Danton. Je sais bien que vous êtes ivre, mais reprenez le cou et achevez-le, ou arrêtez. Un demi-jeu, c'est dangereux...

DANTON *sourit et lâche Robespierre.*

Non. C'était seulement pour rire un peu, entre

bons camarades... Je n'égorgerais même plus un poulet, maintenant. J'ai horreur de la mort.

Saint-Just sourit, méchant, tandis que Robespierre se brosse nerveusement.

SAINT-JUST

Vous vieillissez, Danton.

DANTON *se retourne soudain, grave.*

Oui, Saint-Just, je vieillis. Le sang commence doucement à m'écœurer. Et d'autres choses, de toutes petites choses de tous les jours, dont je ne soupçonnais même pas l'existence, se mettent à prendre de l'importance pour moi.

SAINT-JUST

On peut savoir quelles choses?

DANTON

Les métiers, les enfants, les douceurs de l'amitié et de l'amour. Ce qui avait toujours fait les hommes jusqu'ici.

SAINT-JUST, *froid.*

En somme, un programme parfaitement contre-révolutionnaire... *(Il se retourne, souriant, vers Robespierre.)* Mon cher Max, nous sommes bien sévères pour eux deux. Je comprends maintenant qu'ils ne pensent plus qu'à l'indulgence... Danton vient d'épouser une petite femme de seize ans toute neuve, et Camille se perd de plus en plus, tu le vois, dans l'amour de Lucile... *(Il désigne, railleur, Camille serré contre Lucile.)* Pourquoi leur faire couper la tête sous le prétexte qu'ils ne pensent plus comme nous? Il suffira de la leur enfoncer dans un bonnet de coton! N'est-ce pas, Danton?

Il tape sur l'épaule de Danton, ils rient tous deux.

DANTON

En attendant l'une ou l'autre de ces opérations, je te ramène à Paris, mon petit Max?

ROBESPIERRE, *qui se brosse toujours nerveusement.*

Il n'y a pas d'autre voiture!

SAINT-JUST, *doucement derrière lui.*

Tu es propre, ne te brosse plus.

TALLIEN, *souriant, comme si rien de grave ne s'était passé, et prenant un flambeau pour les raccompagner.*

Et, en retournant à Paris, tâchez de parler d'autre chose... Mon petit Camille, tu es jeune et généreux, donc. Mais tu apprendras en grandissant que ce ne sont pas là des vertus d'homme public... J'étais au courant moi, de la décision du Comité et de l'arrestation de cette nuit, mais je n'ai pas placé un mot dans votre discussion, tu l'as remarqué? Nous savons tous, Robespierre le premier, que ces hommes n'étaient pas tout à fait aussi noirs qu'il nous faut le dire. Mais il nous faut le dire. Le peuple a besoin qu'on lui traduise les choses... Que veux-tu? Ils auront été des soldats sacrifiés sur un champ de bataille, des enfants perdus de la Révolution! Le résultat acquis, Robespierre lui-même — n'est-ce pas, Robespierre? — se fera un honneur de les réhabiliter un jour.

ROBESPIERRE

Chaque goutte de sang qu'il me faut verser, je le tire de mes propres veines : sachez-le; mais il n'est pas d'ami que je ne sacrifierais à mon devoir; sachez-le aussi.

TALLIEN, *à Camille, souriant, la main sur son épaule.*

Tu comprends, Camille?

CAMILLE, *comme égaré.*

Non. Je ne comprends pas, je ne comprends plus rien. Rentrons, Lucile, je suis las.

TALLIEN, *qui a fait signe à Thérésa.*

Nous vous raccompagnons jusqu'à la voiture...

THÉRÉSA, *sortant au bras de Danton.*

Quelle nuit merveilleuse, n'est-ce pas, pour avril?

TALLIEN, *doucement, sortant.*

Floréal, mon amour, floréal. Il faudra t'y faire, mon amour, ou tu nous causeras des ennuis. *(Il soupire en sortant.)* Pauvre Fabre! Il ne va plus en rester qu'un calendrier et une chanson. Tu te rappelles, mon amour : « Il pleut, il pleut, Bergère... » C'était charmant...

Il est sorti en chantonnant. Robespierre est resté un peu en arrière, Lucile rentre soudain et s'arrête au bord de l'ombre. Il s'est arrêté aussi.

LUCILE, *doucement.*

Vous ne pouvez pas faire tuer Camille, Robespierre.

ROBESPIERRE, *raidi,*
son ton est imperceptiblement faux.

Je souffre, Lucile. Je souffre autant que vous. Mais je le dois. Je m'immolerais moi-même, s'il le fallait. C'est cher, la grandeur.

LUCILE *demande, le regardant.*

Qu'est-ce que c'est la grandeur?

ROBESPIERRE

L'accomplissement impitoyable de son devoir.

LUCILE, *toujours doucement.*

Qu'est-ce que c'est votre devoir?

ROBESPIERRE

Maintenir une ligne droite, coûte que coûte, jusqu'à cette clairière où nous pourrons enfin nous reposer tous ensemble, les morts et ceux qui sont encore vivants. Ce lieu lointain dans la forêt où la Révolution, enfin, sera faite.

LUCILE

Et si la Révolution n'était jamais faite, toujours à faire. Si cette clairière s'éloignait comme dans les contes à mesure qu'on avance?

ROBESPIERRE

Il faudrait continuer la lutte.

LUCILE

Éternellement?

ROBESPIERRE

Éternellement.

LUCILE

Sans souci des hommes?

ROBESPIERRE

Sans souci des hommes.

LUCILE, *toujours doucement.*

Mais, cette Révolution, c'est pour les hommes que vous voulez la faire.

ROBESPIERRE, *chassant quelque chose d'un geste.*

Pour d'autres hommes, sans visage.

LUCILE, *doucement, après un temps.*

Robespierre. Je ne suis qu'une femme. Mais les femmes savent des choses que vous ne savez pas. La vie se fait au fond de leur ventre... Elles sont plus près de la vérité que vous. Elles ont deviné depuis toujours que, dans la journée, il n'y avait pas d'hommes. Vous êtes tous restés des petits garçons avec vos idées, votre assurance que rien ne peut entamer, vos violences...

ROBESPIERRE *a un geste impatienté.*

Excusez-moi, Lucile, de graves décisions m'attendent...

LUCILE *sourit.*

Bien sûr! Depuis que vous avez quinze ans, vous avez tant de choses à faire, toujours!... Devenir général, découvrir le pôle, sauver la France, vous rendre riches, faire régner la justice, vous venger... Votre programme n'a pas changé depuis que votre voix a mué. Et aucun qui se soit proposé de devenir un homme, simplement. Il n'y a que les petites filles qui grandissent, Robespierre. Elles seules deviennent des femmes.

ROBESPIERRE *a un geste impatienté encore.*

Lucile...

LUCILE *continue.*

Tout ce que vous venez de me dire, je l'ai entendu dire par Camille tous les jours, à un mot près. Je souriais, je lui passais la main sur les cheveux, comme à un petit garçon obstiné, et j'allais lui préparer son souper pour qu'il mange au moins en attendant. Puis le soir venait et il s'endormait enfin, vaincu, dans le creux de mon bras, redevenu un homme. Moi je ne dormais pas. Je regardais mon homme endormi, savourant le poids de sa tête sur mon épaule, celui de sa jambe en travers de mon ventre. Je pesais son vrai poids d'homme, enfin, comme toutes les femmes silencieuses la nuit. *(Un petit temps, elle demande doucement :)* Personne ne vous a jamais regardé dormir, n'est-ce pas Robespierre?

ROBESPIERRE, *raide.*

Non.

LUCILE

Cela manquera, pour savoir au juste qui vous étiez.

ROBESPIERRE *crie soudain.*

Personne n'aura jamais besoin de savoir qui j'étais. Je n'étais rien.

Il se brosse. Un silence encore, Lucile dit à voix basse :

LUCILE

Rendez-moi le poids de Camille sur mon épaule, Robespierre. Ne me le rendez pas parce qu'il était votre ami au collège, — les garçons de quinze ans sont ivres de pouvoir sacrifier leur meilleur ami à une cause. Ils ne peuvent rêver de jouissance plus grande que ce déchirement-là. Rendez-le-moi, parce que vous m'avez aimée.

ROBESPIERRE, *raide, après un silence.*

Si je le faisais, je serais un lâche.

LUCILE, *dans un souffle.*

Qu'est-ce que c'est qu'un lâche? Passé quinze ans, personne ne le sait plus non plus. *(Un temps encore. Elle murmure, lasse :)* C'est bien. J'irai retrouver Camille toute seule, puisque vous ne me le rendez pas. *(Elle s'éloigne doucement, comme une ombre déjà. Arrivée à la limite de la lumière, elle se retourne et lui dit :)* Pauvre Robespierre, qui tue parce qu'il n'a pas réussi à grandir...

Elle a disparu. Robespierre est seul au milieu de la scène, raidi. Un rictus déforme son visage, il murmure :

ROBESPIERRE

Non, je n'ai pas grandi. Je hais encore les hommes...

L'affreux Marat dans sa baignoire sanglant, un crapaud... Un crapaud jaune, enfin muet : dans son bocal. Et le peuple écoutait ça, parce que ça gueulait plus fort que les autres! Le gros Mirabeau, élégant dans sa robe de chambre, avec son ventre et son sourire et il m'avait pris par le bras de sa main courte et baguée pour me jeter dehors. *(Il se frotte le bras.)* Et le Père jésuite avec ses verges : « Vous savez pourquoi vous allez être fouetté, Robespierre? » Et Danton avec sa grosse voix et son odeur d'homme : « Pardon, Robespierre! Pardon, Robespierre! Dis pardon! » *(Il éclate d'un rire hystérique, soudain et glapit :)* Dis pardon, Danton! *(Il époussette quelque chose sur son revers, se rajuste et conclut posément :)* Ça leur apprendra à me faire peur... Le gros Sanson qui leur coupe la tête pue aussi et ses deux aides avec leurs gros bras. Et ils sourient complaisamment aux filles du haut de l'estrade, car ils savent qu'elles les attendent le soir toutes moites, consentantes, devenues soudain si ignoblement tendres, elles qui rient, toujours de tout, pâmées. *(Il siffle :)* Putains! Seulement mes belles, vos gros amants, vos taureaux bien membrés, vos mâles, vous ne savez pas qu'il suffit qu'il paraisse et qu'il les regarde, le petit Robespierre qui est si maigre et si laid. *(Il regarde méchamment ironique et s'esclaffe :)* Mais qu'ont-ils donc? On dirait que leurs gros bras n'ont plus de vigueur? Que leurs grosses voix se font molles? Que cette chose, cette chose immonde qui tendait leurs culottes a disparu? Tournez-vous, mesdames! Qu'est-ce que c'est donc? Un autre mâle encore plus fort qu'eux? Un taureau encore mieux membré? Un monstre? Non. C'est tout simplement le petit Robespierre qui a surgi et qui les regarde : comme ça! *(Il regarde un instant un mâle imaginaire, puis il éclate, soudain d'un rire bref et crache :)* Putains! Je vous apprendrai, moi! Je vous ferai veuves! Il n'y aura plus personne dans vos lits! *(Il se frotte les mains et glapit, remettant le manteau de Bitos et coiffant son cha-*

peau melon avec lesquels il jouera la fin de l'acte.) Ah! vous avez encore envie d'aimer tous? Ah! on danse encore tous les soirs sur la place des villages pendant qu'il y a le monde à changer? Ah! il n'y a rien aux devantures, au prix taxé, mais on achète encore, par-derrière, même les plus pauvres, pour mieux manger? Ah! les marchandes de modes tentent de rouvrir boutique, alors qu'il n'y a même plus de pain? Ah! on veut être belles, on veut vivre quand même? *(Il crie :)* Est-ce que je vis, moi? *(Il les regarde haineux, terrible et siffle entre ses dents :)* Beaux Français, beaux messieurs, beaux mâles, je vous le ferai passer le goût de vivre et d'être des hommes! Je vous ferai propres, moi!

Il s'est mis à se brosser frénétiquement avec un petit rire de satisfaction. Entre Saint-Just.

SAINT-JUST

Je t'assure que tu devrais t'arrêter de te brosser. Cette manie est ridicule. Qu'est-ce que tu faisais seul dans cette salle déserte. Tu répétais ton discours?

ROBESPIERRE *va à lui, haletant, toute la scène va être jouée dans un rythme rapide de création enfiévrée.*

Saint-Just. Il y a dans ce peuple une incurable propension à la facilité et à l'insouciance. Il accepte ses maîtres, mais il ne les respecte pas. On croit qu'on l'atteint, qu'on le jugule, on s'aperçoit qu'il est plus occupé à jouer aux boules ou à caresser des filles qu'à fixer la ligne de son destin. Je haïssais les aristocrates avec leur façon de sourire de tout, mais je me demande maintenant s'ils n'avaient pas tout simplement cristallisée et grossie en eux l'insouciance de tout ce peuple. Le dernier des sans-culottes en France a encore des talons rouges. L'insolente nation!

SAINT-JUST, *souriant.*

Tu veux faire une loi contre l'insolence?

ROBESPIERRE

Je veux faire une loi qui les oblige à réapprendre le respect. *(Il se rapproche, mystérieux.)* Je crois qu'il faut refaire leur Dieu, maintenant. Nous ne leur ferons pas passer autrement leur ignoble envie de vivre. Un Dieu à nous. Un Dieu que nous aurons bien en mains. Et de nouveaux curés qui les surveillent. Il suffit de faire un décret. *(Il sourit mystérieusement, presque farceur, et va vers la table où l'attendent une plume d'oie et un papier et commence :)* Article premier : Le peuple français reconnaît l'existence de l'Être suprême. Article second : Il reconnaît que le culte de l'Être suprême est la pratique des devoirs de l'homme.

SAINT-JUST *pince-sans-rire.*

Tu es sûr que ça veut dire quelque chose?

ROBESPIERRE, *sans relever l'ironie, continue.*

Oui. Article troisième : Tout blasphémateur sera puni de mort.

SAINT-JUST *éclate de rire.*

Ça, en tout cas, ça veut dire quelque chose. *(Il enchaîne :)* Fais un décret, guillotine. Ils le tricheront, ton Dieu quel que soit le nom que tu lui donnes comme ils trichaient déjà l'ancien, le vrai. Ils trichent tous. Ils ont ça dans le sang.

ROBESPIERRE *crie.*

Je les tuerai tous s'ils le trichent! Est-ce que je triche moi? Je tuerai tous ceux qui trichent. Je guillotinerai tout le monde! Et je reconstruirai — après. Quel jour sommes-nous?

SAINT-JUST

Le 21 prairial.

ROBESPIERRE

Demain, je ferai voter une loi qui réformera le Tribunal Révolutionnaire. Tout cela est trop lent! Le délai pour punir les ennemis de la Patrie ne doit durer que le temps de les reconnaître. Il s'agit moins de les punir que de les anéantir. Ce qui nous manque, c'est un instrument. Nous allons le faire. Écris, toi, moi je ne peux plus. Article premier : Le Tribunal Révolutionnaire est institué pour punir les ennemis du peuple. Article second : Les ennemis du peuple sont ceux qui cherchent ou ont cherché à anéantir la liberté...

SAINT-JUST, *qui note sur ses tablettes, répète.*

La liberté. *(Il regarde Robespierre, qui le regarde.)* Je ne ris pas.

ROBESPIERRE *continue sans entendre.*

Soit par la force, soit par la ruse. Article troisième : La peine portée contre tous les délits dont la connaissance appartient au Tribunal Révolutionnaire est la mort.

SAINT-JUST, *qui note.*

La mort.

ROBESPIERRE, *en pleine euphorie créatrice.*

Article quatrième : S'il existe des preuves soit matérielles soit morales, il ne sera pas entendu de témoins... Article cinquième : Défendre les traîtres, c'est conspirer. La loi donne pour défenseurs aux patriotes calomniés des jurés patriotes. Elle n'en accorde point aux conspirateurs!

Il criait, il tombe assis sur une chaise, épuisé et se brosse. Saint-Just qui relit calmement ses tablettes.

SAINT-JUST

Effet rétroactif. Jurés partisans. Pas de défense.

C'est un modèle du genre. Il resservira. *(Il demande.)* Qui traduira au Tribunal?

ROBESPIERRE

Le Comité de Sûreté générale.

SAINT-JUST

Qui fournira les noms au Comité? Ses travaux ne lui laisseront pas le temps d'enquêter.

ROBESPIERRE

Une commission, qui lui sera étrangère, sera chargée de chercher les suspects dans les prisons. La responsabilité de cette commission se bornera à établir de larges listes de suspects sans approfondir et de les transmettre au Comité. Le Comité se bornera à signer et à transmettre au Tribunal.

SAINT-JUST

Et le Tribunal?

ROBESPIERRE

Le Tribunal jugera. Mais si la Commission et le Comité lui ont envoyé des hommes, c'est que ces hommes sont passibles de la peine de mort. Le Tribunal se bornera à appliquer la Loi. Et il faudra y veiller!

SAINT-JUST, *un peu étonné tout de même.*

Mais alors, qui décidera en fait?

ROBESPIERRE, *mystérieusement, comme apaisé.*

Personne. La machine de la loi. Il est dangereux que des hommes puissent décider quelque chose d'eux-mêmes. Il faut mettre des comparses sûrs, des créatures qui ne soient rien, des imbéciles, au besoin, et les imbriquer les uns dans les autres comme des rouages, émietter leur pouvoir dans des responsabilités minuscules qui ne les engagent jamais. Il faut supprimer autant que possible les hommes et que tout semble se décider de soi. Moi-même je me retirerai. Je ne serai plus rien. La loi broiera seule.

Il se brosse.

SAINT-JUST, *qui range ses tablettes, souriant.*

Ne te brosse plus. Et Dieu, dans cette histoire, tu y renonces?

ROBESPIERRE *s'arrête et se lève détendu, calmé.*

Non. Nous commencerons par Dieu. C'est ce qu'il y a de plus urgent. Il faut redonner un sens moral à ce peuple. Il l'a perdu. Et puis, ils ont besoin d'une fête pour achever d'oublier Danton. Ce soir, je lirai à la Convention le décret sur l'Être suprême. Je veux qu'on fasse une fête, une très belle, très touchante fête, une fête organisée! pas leurs ignobles amusements. On enlèvera la guillotine — pour un jour. Je veux des fleurs, beaucoup de fleurs, des filles en robes blanches, des enfants — ô l'innocence des enfants — des sociétés de gymnastique, des chorales... Enfin quelque chose qui nous rafraîchira tous et nous élèvera. Nous en avons besoin. *(Il a pris le bras de Saint-Just et l'entraîne, tout à fait détendu maintenant.)* Je n'ai pas le temps de tout faire et il n'y a personne autour de nous. C'est le désert. Tu vois, Saint-Just, ce qui nous manque : c'est une littérature qui exalterait les bons sentiments. Il faut que nous organisions une littérature!... Au fond, nous manquons de poètes...

SAINT-JUST

Il y avait Chénier...

ROBESPIERRE *s'exclame, sincère.*

Chénier n'est pas un poète. C'est un contre-révolutionnaire! *(Il enchaîne.)* Tu as bien fait de m'y faire repenser, à celui-là! Je vais envoyer un mot à Fouquier. Il paraît qu'il est encore détenu à l'abbaye.

C'est un scandale! Qui le protège? Qu'est-ce qu'on attend pour le supprimer?

SAINT-JUST, *sortant avec lui.*

Tu as raison. Un poète de moins c'est toujours ça de gagné quand on veut mettre le monde en ordre.

Ils sont sortis.

Le noir soudain; quand la lumière revient, Charles est près de la table, tenant une cuvette en costume moderne. Tout le monde est autour de Bitos qui s'est assis sur son séant, se tenant le menton. Dehors on entend tomber un violente pluie d'orage.

BITOS, *la main sur sa mâchoire, haineux.*

Je dépose une plainte. Tentative d'assassinat. Article 117.

MAXIME *sourit.*

Mais non, Bitos. Vous vous êtes tout simplement évanoui de peur. Le pistolet n'était pas chargé. Robespierre, le vrai, a été atteint à la mâchoire, mais pas vous. J'avais seulement mis un peu trop de poudre et vous avez été légèrement brûlé au menton. Donnez-lui le miroir, Charles, qu'il constate lui-même.

Charles passe le miroir à Bitos qui lâche lentement sa mâchoire, méfiant. Il fait une si drôle de tête en vérifiant l'état de son maxillaire que les autres éclatent de rire malgré eux. Il se lève d'un bond, criant :

BITOS

Mon chapeau! Mon manteau! *(Charles lui passe son petit pardessus noir et son melon. Dehors, on entend la pluie qui tombe à flots et l'orage. Bitos se coiffe gravement de son melon, après une sorte de salut circulaire, et il dit seulement :)* Merci.

Un coup de tonnerre lui répond. Le bruit de la pluie redouble.

PHILIPPE *s'avance.*

Je vous assure, monsieur Bitos, que vous devriez accepter que Verdreuil ou moi vous raccompagnions. Vous ne pouvez pas traverser toute la ville sous cette pluie en escarpins et en bas blancs.

BITOS, *pincé, allant à l'escalier.*

Je trouverai un taxi.

MAXIME *lui crie, pendant qu'il monte.*

A minuit, en province, personne n'a jamais rencontré de taxi, Bitos!

CHARLES *s'est avancé et propose à Bitos qui hésite à sortir, luttant avec la porte, contre le vent, en haut des marches.*

Je pourrais peut-être prêter mon parapluie à Monsieur. Il est très usagé, mais je m'en sers quelquefois pour aller faire les courses.

BITOS

Merci, mon ami. Cet engin me suffira.

Il a pris le parapluie et tente en vain de l'ouvrir dans le vent.

CHARLES *lui crie, inquiet.*

Il est un peu dur. Monsieur permet?

BITOS *a un sourire jaune.*

Robespierre ne savait peut-être pas faire cuire un œuf, mais moi, je suis encore capable d'ouvrir un parapluie!

Il force dans le vent.

CHARLES, *de plus en plus inquiet, lui crie.*

Doucement, je vous en prie, Monsieur. Il faut le connaître. C'est un parapluie qui est un peu nerveux.

Bitos a forcé sur le parapluie décidé à en

triompher coûte que coûte, le parapluie s'est retourné complètement.

CHARLES

Voilà! Je m'en doutais. Il faut savoir le prendre! Il est très susceptible.

Bitos lui a jeté le parapluie avec un mauvais regard et le chapeau assuré des deux mains, il s'est jeté dans la tourmente, dans les éclats de rire des autres, non sans avoir reçu la porte dans le nez.

UNE FEMME *crie.*

La porte. Fermez la porte!

Maxime va bondir. Vulturne le rejoint sur les marches.

VULTURNE, *criant dans l'orage qui gronde et le vent.*

Il faut le rattraper, Maxime et le ramener coûte que coûte! Si tu le laisses partir comme ça, demain, il dépose une plainte et le petit Delanoue retourne en prison.

Maxime le regarde, relève son col pour courir après Bitos, après avoir arraché sa perruque. Brassac, qui en a fait autant, le rejoint.

BRASSAC

Non! Pas toi, Maxime. Tu ne peux plus rien. Moi, j'ai vingt mille ouvriers dans mes usines : apaiser le peuple, c'est mon métier. Votre riflard, Charles!

Charles, qui l'a réparé, le lui tend.

BRASSAC *a saisi le parapluie et s'élance dehors, leur criant.*

Dans dix minutes je vous le ramène. Il faudra le flatter, le faire boire et les femmes l'achèveront. Je compte beaucoup sur vous Lila. N'oubliez pas qu'au fond Bitos est un snob et qu'il tient tout particulièrement à l'opinion de ce monde qu'il se propose de faire fusiller un jour!

Il a disparu dans la nuit.

MAXIME *se retourne vers Charles.*

Charles, apportez-nous du whisky et des verres!

CHARLES, *peiné.*

Entre deux plats, monsieur Maxime?

MAXIME, *ferme.*

Entre deux plats, Charles.

CHARLES, *sortant avec un geste désabusé.*

On n'a jamais vu ça! Quelle soirée!

Le rideau tombe rapidement.

FIN DE L'ACTE II

ACTE III

Ils sont tous en scène attendant, inquiets. Brassac passe la tête par la porte de l'office. Il n'a plus de perruque. Il a un curieux couvre-pied sur les épaules et à la main, une serviette de toilette avec laquelle il achève de s'essuyer la tête.

BRASSAC

Il téléphone chez la gardienne pour demander à un ami de venir le chercher en voiture, mais j'ai pu le convaincre de venir boire un grog avec nous pour se réchauffer. Il est percé jusqu'aux os. La crainte de la broncho-pneumonie a été pour beaucoup dans son retour : c'est un homme soucieux de sa petite santé.

Il a disparu à nouveau comme un diable dans une boîte.

DESCHAMPS, *qui était resté à l'écart, s'avance.*

Je vois, monsieur, que vous allez sagement tenter d'arranger les choses avec André Bitos. Comme ma présence n'y aiderait certainement pas, je vais vous demander la permission de me retirer.

MAXIME *sourit.*

Je crois qu'il ne serait pas sage en effet de vous retenir. Il arrive quelquefois qu'on se réconcilie, fût-ce après un bain de sang, avec ses ennemis de classe, mais jamais avec ses amis. *(Il sonne. Charles paraît.)* Charles, le vestiaire de Monsieur, s'il vous plaît.

DESCHAMPS

Je tiens à vous dire pourtant avant de partir que j'ai les mêmes idées politiques qu'André Bitos si je le méprise en tant qu'homme.

MAXIME

Je ne l'ignorais pas.

DESCHAMPS

C'est ce qui m'a empêché d'être aussi drôle que je l'aurais souhaité pour faire honneur à votre invitation. *(Il passe son imperméable que Charles a apporté.)* Je vous souhaite à tous de terminer au mieux cette soirée. Bonsoir, monsieur de Verdreuil. Je suis heureux de vous avoir rencontré. *(Il fait un pas et se retourne timide et souriant, charmant.)* Apprivoisez ce que Monsieur Brassac appelle le peuple, avec des moyens dont j'aime autant ne pas être le témoin. Ce que je veux vous dire, pour vous éviter, à la fois les déceptions et les joies d'un triomphe trop facile, c'est que, ni André Bitos, ni les meneurs des usines de Monsieur Brassac, ni d'ailleurs, les figures de la Révolution, que nous avons essayé d'évoquer ce soir, ne sont le peuple. Tous ces gens-là vous ressemblent plus que vous ne pouvez l'imaginer. Le peuple, le vrai peuple a seul l'honneur et l'élégance d'appartenir à la race qui ne fait que donner. *(Il sourit encore.)* C'est un petit peu grandiloquent, je m'en excuse, mais je ne savais trop comment vous dire cela et je voulais vous le dire... Bonne fin de soirée, mesdames.

VICTOIRE *s'avance.*

J'aimerais mieux partir aussi Maxime. Je suis sûre que monsieur Deschamps accepterait de me raccompagner.

MAXIME

Mon ange, il s'agit maintenant d'empêcher le petit Delanoue de payer les pots cassés. Je crois que pour lui cette fois, pas pour moi, il est mieux que vous restiez : à trois femmes vous n'allez pas être de trop. Attendrir Bitos me paraît — quant à moi — une curieuse vue de l'esprit *(A Deschamps qui attendait.)* Je vous raccompagne, monsieur.

LILA *s'exclame aux autres, regardant sortir Deschamps.*

Maxime avait raison. Il est très bien ce garçon! Pas invitable, mais très bien!

AMANDA, *navrée.*

Oh! Pourquoi l'avoir laissé partir? Il avait des yeux ravissants!

Brassac entre avec Bitos sans perruque, les cheveux mouillés, une serviette autour du cou et une sorte de rideau ridicule sur le dos qui lui donne un vague air d'empereur romain.

BRASSAC

Mes amis, voici notre ami, Bitos, qui vous demande comme moi de lui pardonner sa tenue. Charles fait sécher sa veste et son manteau. Très sportivement, je le reconnais, André Bitos a accepté nos excuses et de venir boire avec nous le grog dont nous avons diablement besoin tous les deux. Quel temps de chien! Nous n'avons plus rien de sec.

BITOS, *encore sur la réserve.*

J'ai accepté vos excuses parce que j'ai tenu à montrer à ces dames que je n'étais pas aussi ours et aussi ridicule qu'on veut bien le prétendre dans ce pays. J'ai eu un moment d'humeur, bien justifié, d'ailleurs, vous le reconnaîtrez, dont je m'excuse à mon tour.

LILA

Monsieur Bitos, je savais que vous étiez un homme d'esprit!

Maxime s'avance la bouteille à la main.

MAXIME

Votre grog me paraît faible, Bitos. Permettez-moi de le corser un peu en gage de notre réconciliation.

BITOS, *geste prudent.*

Très peu, très peu. Je ne supporte pas l'alcool.

MAXIME, *le servant.*

Buvez donc. S'enivrer n'est rien, c'est prendre froid qui est grave. *(Il le frotte.)* Vous vous sentez réchauffé? Votre ami Deschamps s'est excusé, il a dû repartir. J'ai pensé qu'il était mieux de ne pas le retenir puisque vous acceptiez de revenir parmi nous. C'est un garçon qui m'a paru curieusement haineux à votre endroit.

BITOS

Il est haineux. *(Il boit et tousse.)* Vous m'avez mis trop de whisky. C'est un fait que ce garçon est un de ceux qui ne me pardonnent pas ma réussite...

MAXIME, *qui achève de le frotter.*

C'est un bien vilain sentiment.

BITOS

Il est très difficile de s'élever au-dessus de certains médiocres et de conserver leur estime.

MAXIME

Je vois que le cœur humain vous est connu. *(Il a un regard avec les autres et il enchaîne, servant tout le monde groupé autour de Bitos :)* Quant à moi, j'ignorais qu'il y eût une histoire entre vous. Pour le petit Delanoue, je plaide coupable. J'ai cédé à un certain mauvais goût du mélodrame en le faisant venir. Mais je ne me doutais pas qu'il se laisserait aller à un enfantillage déplacé. Car nous sommes tous bien d'accord, il ne s'agissait là que d'un enfantillage?

BITOS, *fermé.*

Ne parlons plus de cela si vous voulez bien. C'est une chose qui me concerne seul.

VULTURNE, *cordial — un peu trop.*

Bitos a raison! Il faut oublier au plus vite ce petit incident pénible qui, d'ailleurs, n'a pas tiré à conséquence. J'ai moi-même été désagréable, Bitos, et je m'en excuse. Ma parole! Je me croyais Mirabeau et dans le feu de l'action...

BITOS *a un sourire ambigu.*

Je me suis bien cru Robespierre!

MAXIME, *le servant.*

Buvons, buvons, mes amis. Il faut oublier tout cela. Si les hommes se donnaient pour oublier le centième du mal qu'ils se donnent pour se souvenir, je suis certain que le monde serait depuis longtemps en paix.

JULIEN, *s'avance verre en main.*

Au fond, le premier massacre urgent serait celui des professeurs d'histoire...

MAXIME

Ne parlons pas des journalistes qu'on devrait tuer au berceau.

PHILIPPE, *poursuivant la plaisanterie.*

On continuerait par les savants.

BRASSAC, *même jeu.*

Quelques idéalistes dangereux...

BITOS, *même jeu.*

Quelques financiers...

JULIEN

Bien entendu, un certain nombre de militaires...

VULTURNE

Une grosse masse de peuple trop crédule...

BITOS, *riant aussi.*

Et toute la fine fleur de la bourgeoisie égoïste!

LILA

Je vous en prie! Je vous en prie! Laissez-nous de quoi inviter à dîner!

AMANDA, *très chatte.*

Conserverez-vous quelques jolies femmes?

BITOS, *galant.*

Je ne dis pas non! *(Elle le sert, il proteste en riant.)* Hé là! Hé là! Madame. Vous voulez me griser.

AMANDA *susurre à son oreille.*

J'adorerais cela! Vous êtes un mystère pour moi, monsieur Bitos.

BITOS, *roucoulant, mondain.*

Vous me flattez beaucoup, madame. Mais je vous assure que vous vous trompez. Je n'ai rien de mystérieux et si je suis revenu parmi vous, c'est précisément pour vous montrer qu'on pouvait être un « rouge », comme vous dites, et n'être pas l'ennemi d'une détente charmante, si elle ne dépasse pas certaines bornes, bien entendu. J'ai mes idées, certes, et j'y tiens. Mais on m'a vu dans quelques belles fêtes et on m'y verra encore...

Il est assis dans un fauteuil où Julien l'a

poussé, au milieu de la scène, paradant soudain comme Mascarille, les femmes papillonnent autour de lui, les hommes l'entourent et le servent.

LILA, *tirant un tabouret près de lui.*

Cher monsieur Bitos, c'est pour ce mélange d'idées avancées, qui nous passionnent toujours, nous autres femmes, et de parfaite tenue, que nous avons plaisir à vous recevoir.

BITOS *s'incline.*

Merci, madame.

LILA

Êtes-vous libre mercredi en huit? Je réunis quelques amis à dîner à l'occasion du passage dans notre ville du professeur Lepet, de l'Institut, qui vient nous donner une conférence qui sera très courue, je crois, sur l'utilisation pacifique de l'énergie nucléaire.

BITOS, *heureusement surpris, pendant que Maxime en profite pour le servir.*

Je serais ravi d'être des vôtres à cette occasion, madame. Lepet est un grand savant et un homme de cœur qui a mis son immense science au service des causes les plus justes. Je suis ravi, en tout cas, d'apprendre que vous le recevez. *(Il vide son verre dans l'euphorie et tousse.)* Je pense que mon ami ne va pas tarder et que vous pourrez reprendre enfin vos petites agapes... Je l'ai réveillé en pleine nuit, le malheureux, et il lui aura fallu le temps de s'habiller. *(Un silence. On entend la pluie. Bitos ajoute comme pour s'excuser :)* Mais il fait vraiment un temps à ne pas mettre un chien dehors. Et comme je suis assez fragile des bronches.

LILA, *à qui Brassac a fait un signe, enchaîne.*

Croyez que nous serons navrés de nous remettre à table sans vous, monsieur Bitos. Peut-être pourrait-on lui téléphoner de ne pas se déranger?

BITOS

Non, madame, il est certainement déjà en route.

LILA

Ou le prier de se joindre à nous?

AMANDA *lui a pris le bras.*

Quelle bonne idée! J'aimerais tant que vous restiez avec nous, monsieur Bitos...

BITOS *a un petit rire gêné.*

A vrai dire, je serais confus de vous imposer sa présence, mesdames. C'est un garçon très gentil, très estimable, certes... mais très simple. C'est le mécanicien de la place du Marché.

JULIEN *s'exclame.*

Fessard? Mais je le connais comme ma poche. Si j'ose dire! Je ne lui ai pas encore payé ma voiture.

BITOS, *riant du bout des lèvres.*

Et, comme en bon commerçant, il doit avoir sur les dettes des idées infiniment plus strictes que les jeunes gens de votre monde, vous voyez donc, mon cher, que sa place n'est pas ici.

BRASSAC, *très cordial.*

Mon cher Bitos, ce qui me plaît et m'étonne chez vous, c'est ces possibilités de contact avec tous les milieux. Vous nous dites que Fessard, qui est — il faut bien le dire — un homme très commun, est votre ami, et d'autre part, on vous rencontre chez le président de Brèmes et aux dîners de Lila qui sont ce qu'il y a de plus fermé dans le pays. Et toujours aussi à l'aise. Vous êtes un homme étonnant!

MAXIME, *profitant de l'euphorie pour servir tout le monde.*

Nous ne buvons pas... mes amis, nous ne buvons pas...

BITOS, *servi malgré lui, très enjoué, continue avec Brassac.*

Pourquoi étonnant? Il y a des gens de cœur et d'esprit partout. Votre étonnement vient de ce que le véritable esprit démocratique vous est totalement étranger, Brassac. Je ne fais, pour ma part, aucune différence entre un mécanicien comme Fessard, s'il n'est pas bête, et un invité de madame la comtesse de Preuil...

JULIEN

Qui n'est pas forcément bête, non plus!...

BITOS, *riant, bon prince.*

Pas forcément!

BRASSAC, *qui a pris la bouteille et le sert, à son tour soupirant.*

Ah! Bitos! On aurait intérêt à se mieux connaître... Chacun regarde l'autre de son bord. Peut-être tout s'arrangerait-il si on se connaissait mieux! Au fait, pourquoi cette fausse réputation de janséniste? C'est vous qui la cultivez? Nous nous sommes moqués de Robespierre tout à l'heure, à cause de cela, mais je m'aperçois que votre cas est tout différent. Vous buvez fort bien.

BITOS, *flatté.*

Bah! Une fois n'est pas coutume.

Il boit et tousse abominablement.

BRASSAC

On dit aussi que vous avez peur des femmes et moi je vous ai rencontré une fois à Clermont, en fort galante compagnie. Niez-le!

BITOS, *qui rit niaisement, ravi.*

Vous m'avez peut-être rencontré en compagnie d'une dame, ce n'est pas, à première vue, impossible, mais en fort galante compagnie, comme vous dites...

BRASSAC

Suffit, Bitos! Entre galants hommes! J'ai compris! *(Il lui tape sur le ventre, clignant de l'œil.)* En tout cas, c'était une très jolie brune. Il faut bien connaître tous les milieux, n'est-ce pas? C'est vous qui l'avez dit!

MAXIME *s'exclame.*

Mais je ne connais qu'une brune à Clermont, c'est Léa! Mon cher Bitos, compliments! C'est la femme la plus chère de la ville. Ne l'a pas qui veut! Je me suis laissé dire qu'au-dessous du grade de capitaine, elle refusait la garnison.

JULIEN, *lui tapant sur l'épaule.*

Léa? Cette enfant me tromperait-elle? Allons-nous devoir nous battre pour elle comme autrefois... à la récréation? Sacré Bitos!

Les trois hommes l'entourent, lui tapent sur les épaules. Bitos boit, tousse et glousse, ravi. Julien tente de le servir encore, Bitos refuse d'un geste. La bouteille fait le tour derrière lui et revient à Amanda.

BITOS

Messieurs... Messieurs... Je croyais qu'une des lois de votre monde était la discrétion sur ces... petites frasques... ne serait-ce que par égard pour les dames. Attendons au moins d'être entre hommes.

BRASSAC

Messieurs, c'est Bitos qui nous rappelle au savoir-vivre et il a raison. Revenons à un sujet moins scabreux.

AMANDA *le servant de l'autre côté.*

Encore un peu de whisky?

BITOS, *qui s'épanouit insensiblement.*

Je ne dis pas non : c'est bon, ce goût de fumé. Et en somme, avec de l'eau, on ne le sent pas passer.

BRASSAC

Le whisky est la chose la plus inoffensive du monde.

MAXIME

Charles, apportez-nous une autre bouteille!

BRASSAC

Savez-vous, mon cher, que c'est un alcool de céréales? Et quoi de plus sain que les céréales? Quoi de plus social? L'orge, le seigle.

MAXIME

Le blé.

JULIEN

Les kolkhozes!

BRASSAC

Notre pain quotidien! Le cognac, le vin, c'est louche. C'est le raisin. Et le raisin, c'est Bacchus. Et qui dit Bacchus, dit Dyonisos. Et qui dit Dyonisos est déjà contre-révolutionnaire!

BITOS, *finement, amusé.*

Je ne vous soupçonnais pas cette culture, mon cher Brassac! J'en étais resté au cancre d'autrefois... Mais pourquoi diable Dyonisos serait-il contre-révolutionnaire?

BRASSAC

Parce que Dyonisos c'est l'anarchie! Et je ne vous apprends pas que lorsque les révolutionnaires — les révolutionnaires sérieux — prennent le pouvoir, les premiers qu'ils font fusiller bien avant les réactionnaires et les petits-bourgeois qu'ils estiment, à juste titre, peu dangereux, ce sont toujours les anarchistes... Vous ne voudriez pas qu'ils laissent ces excités-là aller leur déclencher des grèves tout de même? Une grève dans un régime sérieux ça se mate, dans l'œuf! Pas de désordre! Surtout quand c'est le peuple qui gouverne!

BITOS, *soudain complice lui aussi, buvant avec lui.*

Je vois qu'il y a bien des choses dans la conduite de ce monde qui ne vous ont pas échappé, mon cher Brassac!

BRASSAC, *même jeu.*

C'est qu'il y a des hommes, mon cher Bitos, avec qui on comprend très vite qu'il y a tout intérêt à être franc! L'intelligence aussi est une internationale, ne l'oublions pas!

BITOS, *ravi, levant son verre, très Régence.*

Je vous retourne le compliment, mon cher.

BRASSAC, *le servant et se servant.*

Buvons encore un peu, Bitos, et je sens que nous allons tout nous dire! *(Confidentiel.)* On vous reproche toujours vos massacres, mais croyez-vous qu'à la réaction de Thermidor, quand de très musclés muscadins ont eu enfin le droit de massacrer du sans-culotte ou après les Cent-Jours, à la Terreur blanche nous y avons été de main morte nous aussi?

Coup de coude, clin d'œil. Bitos rigole et répond de même.

BITOS, *ravi.*

Vous l'avouez donc enfin!

BRASSAC *cligne de l'œil, un doigt sur la bouche.*

Chut! Officiellement on n'avoue jamais rien. Je ne vous l'apprends pas, vous êtes orfèvre. Mais, il ne faut pas oublier que nous sommes les fils des vaillants Versaillais du petit Père Thiers, ce parangon des vertus bourgeoises — les rejetons de Galliffet, ce parfait homme du monde, qui désignait de son gant blanc les têtes qui ne lui revenaient pas dans la foule des prisonniers. Rran! Vingt mille fusillés! La moitié des ouvriers tanneurs, des plâtriers et des cordonniers de Paris, très exactement, disent les statistiques. La France, grâce à nous, commençait à voir grand : signe de l'avènement des temps modernes.

BITOS, *rigolant, complice.*

Je ne vous le fais pas dire!... Alors, pourquoi nous reprocher, à la Libération, compte tenu du chiffre accru de la population...

BRASSAC, *en confidence.*

Mais rien du tout, rien du tout! En fait, nous ne vous reprochons rien du tout. Nous ne sommes pas des enfants! Les exécutions sommaires c'est comme les boules, c'est un jeu français. Chez nous, on sait ça en naissant.

BITOS, *soudain pointilleux comme un homme ivre.*

Pardon! Pardon! Là, je vous arrête. Nous, nous avons toujours veillé — je veux dire en 93 — à ce que les décisions du Tribunal révolutionnaire fussent parfaitement en règle. Toujours deux signatures!

BRASSAC

Mais nous aussi, nous aussi, mon bon! Nous signons. Pour qui nous prenez-vous? On n'est pas des brutes! Deux, trois signatures, quatre s'il le faut! En France, on trouve toujours un général pour signer un décret ou pour refuser une grâce et, si on n'a pas le texte de loi qu'il fallait, on le fait, avec effet rétro-actif, bien entendu! On a des manières. On tue, soit, mais on y met des formes. L'ordre, toujours l'ordre! Seulement le soir, en rentrant, nous, on s'habille et on baise tout de même la main des dames, leur confiant, dans un sourire, quelques-uns de ces horribles détails dont elles sont à la fois effrayées et gourmandes... Et on continue à élever chrétiennement nos chers petits enfants. *(Bitos fait la grimace.)* Ah! ça on y tient beaucoup, comme vous, à l'avenir de l'humanité! Chacun son dada! *(Il achève complice :)* Seulement que voulez-vous, que ce soit chez vous ou chez nous, il faut se faire à cette idée, mon bon : en France, on dîne de têtes. C'est le plat national!...

BITOS, *avec un geste ignoble soudain.*

La poigne! C'est le seul secret. Et pas besoin du gant de velours, vieille histoire. La main de fer suffit... Mais attention! *(Il lève un doigt précautionneux d'ivrogne et achève, pâteux.)* Pour le bien du peuple.

JULIEN, *doucement derrière lui.*

Et qui décide que c'est pour le bien du peuple?

BITOS, *innocemment.*

Nous!

Il a dit ça si gravement qu'ils n'y tiennent plus et éclatent de rire. Il les regarde un peu effaré, puis soudain, il se met à rire avec eux, on en profite pour le servir à nouveau.

JULIEN *lui tapant sur l'épaule.*

Sacré Bitos! Il me plaît maintenant.

LILA *lui pince l'oreille, riant.*

Et homme d'esprit avec ça.

BITOS *roucoule, ridicule.*

Vous êtes trop bonne, madame!

BRASSAC

Tout cela nous prouve, mon cher Bitos, que nous

étions d'assez mauvaise foi tout à l'heure tous en accusant ce pauvre Robespierre qui, au fond, n'a tué que le strict nécessaire, pour maintenir, pendant son court passage au pouvoir, une vieille tradition française! Messieurs, je vous propose un toast qui achèvera, je l'espère, de nous réconcilier avec notre ami Bitos. *(Il lève son verre.)* A Robespierre, messieurs! Encore un peu de whisky, Bitos, pour trinquer à Robespierre?

BITOS

Bien volontiers! Je m'y suis fait maintenant!

AMANDA

Sans eau! Et cette fois, cul sec! Vous savez ce que c'est? Monsieur Bitos!

BITOS, *gaillard.*

Ma foi, oui! petite madame! *(Il crie de sa voix de fausset :)* Cul sec! A Robespierre, messieurs!

TOUS *levant leur verre.*

A Robespierre!

Bitos vide son verre d'un trait et tousse abominablement.

VULTURNE *s'approche de Maxime.*

Arrête le jeu, maintenant, Maxime. Cela va tourner mal.

MAXIME, *qui n'a rien dit,*
pâle et méchant, dans son coin.

Tu es fou! Je n'ai jamais rien vu d'aussi beau.

PHILIPPE, *qui s'est rapproché aussi.*

Il faut, en tout cas, tâcher d'obtenir de lui tant qu'il est ivre, qu'il renonce à porter plainte contre le petit Delanoue.

VULTURNE, *qui a échangé un regard avec Philippe, va à Bitos.*

Mon cher Bitos, dans cette atmosphère d'amitié retrouvée, je voudrais vous demander quelque chose...

BITOS, *devenu soudain méfiant.*

Je vous écoute.

VULTURNE

C'est au sujet de ce garçon que ce fou de Maxime n'aurait jamais dû faire participer à sa mauvaise farce... Une plainte contre lui peut avoir les conséquences les plus graves, vous le savez...

BITOS, *le coupant, grave soudain.*

Monsieur de Verdreuil, je vous estime, mais je vous ai déjà dit que cette affaire me concernait seul. Il y va de la dignité de ma robe.

AMANDA, *s'approchant de lui.*

Retirez-la, monsieur Bitos...

BITOS, *aigu.*

Ma plainte?

AMANDA, *câline.*

Votre robe. Pour me faire plaisir. Je vous promets une récompense, si vous renoncez à faire des ennuis à ce pauvre garçon.

LILA

Et puis cela ferait du bruit dans Landerneau, comptez sur moi pour cela! Pensez donc, un substitut qui pardonne! *(Elle se retourne.)* D'ailleurs, la mode revient au pardon, vous ne trouvez pas? Et le mouvement semble venir de Paris.

Il y a un silence, tout le monde regarde Bitos gêné des caresses des femmes. Il a un soudain hoquet avec une gravité d'homme ivre.

BITOS, *de plus en plus César romain, drapé dans son rideau.*

C'est bien. Puisque toutes les dames le demandent, j'incline pour la clémence.

TOUS

Vive Bitos! Un toast à Bitos!

JULIEN *crie soudain.*

Vive Auguste!

BITOS, *méfiant.*

Auguste? Quel Auguste?

JULIEN *s'incline, gracieux.*

L'empereur, bien entendu. Qu'allez-vous croire? *(Il récite.)* Prends un siège, Cinna et avant toutes choses... Nous avons appris ça ensemble chez les Pères, mon tout bon.

Ils boivent tous.

MAXIME

Nous avons votre parole, Bitos?

BITOS, *noble et ivre.*

Vous l'avez! J'ai tort, d'ailleurs. La clémence envers les ennemis du peuple est un crime. Le peuple n'a pas à faire clémence. La clémence : c'est une élégance des tyrans pour se faire de la publicité. Et le peuple n'a pas besoin de publicité. Mais ce soir, c'est fête!... On peut faire une petite entorse aux principes... *(Il tend son verre.)* Redonnez-moi un peu de whisky!

Les trois hommes se précipitent à la fois avec trois bouteilles. Tout le monde rit.

AMANDA

Merci, monsieur Bitos! A moi de payer, maintenant. Voilà! *(Elle l'embrasse.)* Vous êtes très bon!

BITOS, *comme égaré, s'essuie nerveusement la bouche rougie et s'exclame agressif soudain.*

Mais oui! Je suis bon. Personne ne veut croire que je suis bon! On me hait!

AMANDA, *le cajolant.*

Mais non, monsieur Bitos! On vous admire et on vous aime bien tous.

BITOS

On m'a accusé d'avoir été dur à la Libération! Il fallait nettoyer. La France n'était pas propre... Il fallait faire payer les brebis galeuses pour que tous les autres, qui n'avaient pas tellement la conscience tranquille, se sentent lavés et innocents. Enfin, messieurs! Nous n'avons pas tout à fait les mêmes idées, mais vous le voulez, vous aussi, que la France soit propre?

TOUS, *jouant le jeu, le consolant, le faisant rasseoir.*

Mais bien sûr, bien sûr, Bitos! Il ne faut pas vous inquiéter pour ça! Elle est propre, la France!

BITOS, *volubile soudain, plein de tics.*

C'est comme ce garçon, ce Lucien, dont vous a parlé l'ignoble Deschamps. Vous croyez que cela ne m'a pas coûté de demander sa tête? J'avais fait ma première communion avec lui!

TOUS, *même jeu.*

Mais si, Bitos! Mais si. Cela a dû vous coûter beaucoup. Nous le comprenons.

BITOS

Vous croyez que c'est drôle, au petit matin, d'être obligé d'aller voir mourir quelqu'un qu'on connaît? C'est horrible. J'ai failli vomir mon café au lait!

AMANDA, *qui le caresse.*

Pauvre Bitos...

BITOS, *sombre, tendu, nerveux, leur crie.*

J'ai acheté une poupée à la petite fille! La plus chère! Alors, pourquoi dit-on que je ne suis pas bon?

AMANDA

C'est vrai. C'est injuste!

BITOS *se dresse.*

Oui, c'est injuste! On est toujours injuste avec moi. Et ça me fait mal. *(Il crie soudain.)* Tout me fait mal! *(A Victoire qui n'a rien dit, pâle dans un coin.)* Mademoiselle de Brèmes, votre père m'a chassé comme un voleur parce que j'avais osé demander votre main! *(A Lila.)* Vous, madame, à ce dîner où vous m'avez convié l'hiver dernier, vous l'aviez vu que je m'étais trompé de fourchette! Votre maître d'hôtel, en tout cas, l'avait vu! Et personne ne m'a averti! On m'a laissé me tromper jusqu'au bout pour que je n'aie plus que ma fourchette à dessert au moment où on a apporté la viande! On voulait que je sois ridicule! Vous, Maxime, c'est vrai que je vous portais vos affaires pendant les promenades pour que vous puissiez courir. C'est vrai que je m'étais fait votre valet et que je vous aimais! Mais vous m'avez repoussé. Tout le monde me repousse toujours. Et, pourtant, je suis bon! Je suis bon! *(Il crie comme un fou :)* Je ne ferais pas de mal à une mouche! *(Il est sombre et abattu; tout d'un coup, il a un hoquet. Il est retombé assis sur une chaise qu'on lui a charitablement poussée sous le derrière, il dit soudain, étrangement :)* Ce n'est pourtant pas ma faute si j'étais un petit garçon pauvre. Vous, vous ne preniez rien au sérieux et tout vous réussissait tout de même, toujours. *(Il ajoute, sourdement :)* Le monde des pauvres s'écroule si on ne prend pas tout au sérieux. C'est comme une gifle.

Il y a comme une gêne, même chez ceux qui s'amusaient franchement un moment avant. Vulturne a regardé Philippe. Ils vont vers Bitos.

PHILIPPE

Monsieur Bitos, il est tard maintenant et vous êtes fatigué. Vous ne voulez pas que Verdreuil et moi vous raccompagnions? Votre ami semble tarder.

BITOS

Merci, mes amis! Je vous demande seulement la permission d'aller me passer un peu d'eau sur la figure.

Il s'est levé, il va vers l'office.

BRASSAC, *à Maxime.*

Si tu le laisses aller se dégriser, tout est perdu.

MAXIME *le rattrape.*

Bitos, vous venez de me faire de la peine. Il me semblait que nous nous étions expliqués et que j'étais redevenu votre ami.

BITOS *le regarde froidement et dit :*

Non. Je n'ai pas d'ami. *(Il les regarde tous étrangement et dit :)* La poigne. *(Un silence, il ajoute, méchant :)* C'est ma seule amie. Faire ce qui se doit durement, contre tous. *(Un temps encore. On dirait qu'il les a oubliés. Il regarde autre part au fond de lui, il continue, sourdement :)* Mais je n'aime personne. Même pas le peuple. Il pue. Il pue comme mon père qui me cognait dessus et comme les amants de ma mère qui ont continué après, quand il est mort. Et j'ai horreur de ce qui pue. J'aurais voulu que tout soit net, toujours, sans ratures, sans bavures, sans taches. *(Il se brosse, égaré. Soudain, il a l'air de les découvrir tous, muets et un peu effrayés autour de lui, il éclate de rire et dit doucement :)* Le sentiment de vous faire peur, à tous, est doux aussi...

Hein? Le petit Bitos qui était si comique tout à l'heure? On ne rit plus.

Les autres sont restés interdits, seul Brassac se ressaisit et va à lui, grave et cordial.

BRASSAC

Bitos, la fâcheuse aventure de ce soir aura au moins servi à quelque chose. Nous apprendre qui vous étiez. C'est d'individualités comme la vôtre que nous manquons. La connaissance exacte des hommes et le caractère. Vous avez dit le mot : la poigne. Si la France se relève un jour, ça ne sera pas par des systèmes, mais par des hommes. Tous ceux qui sont conscients du danger cherchent passionnément des hommes. Ils sont malheureusement rares.

BITOS, *méprisant.*

Oui. Les hommes sont rares.

BRASSAC, *sentencieux.*

C'est pourquoi, quand on en a trouvé un, il faut avoir le courage de mettre à sa disposition tous les moyens dont on dispose sans arrière-pensée. Pardonnez-moi de vous parler franchement, je ne suis pas tout à fait sûr que les forces politiques qui vous emploient soient exactement conscientes de votre véritable valeur.

BITOS *hausse les épaules, amer.*

La jalousie et la haine sont partout.

BRASSAC, *le servant sans que Bitos y prenne garde.*

L'aveuglement aussi. Mais il y a, autre part, pas très loin politiquement de vous, des hommes lucides qui sont capables, eux, de jauger une personnalité exceptionnelle et de lui permettre de donner sa mesure. Vous savez que je fais partie de ce qu'on a appelé quelquefois le patronat avancé. Nous sommes quelques grands patrons en France pour qui la question sociale prime tout. Sans sentimentalisme, certes, mais avec une lucidité et une notion bien comprises de nos intérêts profonds et de ceux du pays, qui sont les meilleurs garants de notre bonne foi. Vos idées politiques, en somme, et celles du grand patronat dont je vous parle sont presque les mêmes. Nos ressources sont immenses, mais nous manquons d'hommes. D'un homme.

BITOS, *encore méfiant.*

Je ne vous comprends pas très exactement, mon cher Brassac.

BRASSAC, *très grand patron, soudain désinvolte.*

Téléphonez-moi donc un matin à l'usine et nous prendrons rendez-vous pour bavarder de tout cela en déjeunant... Je vous parlerai en détail d'un projet qui m'est cher. Oui, le Consortium que je préside songe à créer un poste aussi important — et peut-être plus important que le mien — pour assurer une liaison entre les différentes directions et les cadres techniques, d'une part, et, de l'autre, ces masses qui nous échappent, malgré la vigilance de notre esprit social. Une sorte de Tribunat du peuple, en somme, doté des moyens les plus puissants et que rien n'interdirait par la suite d'élargir jusqu'à l'échelon national...

Il l'a servi encore en parlant.

BITOS, *qui boit rêveur.*

Mais mes fonctions de magistrat m'interdisent...

BRASSAC, *tout rond, buvant aussi.*

Bah! mon bon! La magistrature, c'est comme le reste, c'est fait pour en sortir... *(Il lui a tapé sur l'épaule, péremptoire. Comme si tout était déjà signé. Il redevient désinvolte.)* Mais nous parlerons de tout cela plus tard à loisir. Nous allons finir par ennuyer nos belles amies avec notre conversation sérieuse et, ce soir, nous sommes là pour nous amuser! *(Il tape joyeusement dans ses mains, les réunissant tous d'un geste.)* Mes amis! Je constate que l'atmosphère de cette soirée est redevenue si amicale que j'ai peur que le dîner de Maxime, si nous le reprenons au point où nous l'avons laissé, ne nous paraisse un peu triste maintenant. Il y a, dans notre misérable pays, une boîte qui est encore ouverte. Si nous allions tous à l' « Aigle Rose »? le nouvel orchestre est, paraît-il, très bon.

MAXIME

Excellente idée! *(Il appelle.)* Charles!

BITOS, *soudain frétillant.*

L'Aigle Rose? Mais je me suis laissé dire que c'était une boîte très ollé, ollé!... Je ne sais pas si je peux me permettre en qualité de magistrat...

BRASSAC, *confidentiel.*

Mon cher, ils y sont tous. Mais il y a une règle tacite là-bas, personne ne fait semblant de se reconnaître...

BITOS *glousse.*

Je dois avouer que votre monde a mis au point un certain nombre de subtilités... *(Il vide son verre, désinvolte.)* Bien agréables, d'ailleurs!

On a frappé lourdement là-haut. Charles est monté et parlemente avec quelqu'un.

CHARLES

Monsieur Maxime, c'est un monsieur ou plutôt un homme qui dit qu'il doit voir monsieur Bitos...

JULIEN, *feignant la panique.*

C'est Fessard! Cachez-moi! Il va me demander de l'argent.

AMANDA *bat des mains.*

C'est l'ami? Le fameux ami mécanicien? Décidez-le

à venir avec nous, monsieur Bitos, il nous fera rire!

LILA

Excellente idée! Faites-le venir...

BITOS *roucoule.*

Non, non, mesdames. Je ne veux pas. Sa présence vous serait certainement désagréable... Il est vraiment trop vulgaire! *(A Charles.)* Dites-lui que je le remercie, mon ami, mais que tout est arrangé!

CHARLES

Il vaudrait peut-être mieux que Monsieur se montre en personne. Il a l'air très inquiet sur le sort de Monsieur...

BITOS, *enjoué.*

Mon Dieu, c'est absurde... C'est absurde! Un instant, mes amis! Je vais le renvoyer et je suis à vous!

Il monte rapidement, titubant un peu, et disparaît dans la rue, criant de sa voix de fausset « Fessard! »

MAXIME, *entre ses dents.*

Superbe. C'est superbe! Mon petit Brassac, c'est plus beau que tout ce que j'avais pu imaginer. Tu as du génie.

BRASSAC *sourit, modeste, allumant un cigare.*

Une sorte de génie, oui. Qu'est-ce que tu veux parier qu'il me téléphone dans deux jours, à l'usine pour me demander quand je l'invite à déjeuner?

MAXIME

Et tu l'invites?

BRASSAC, *doucement dans son cigare.*

Même pas.

JULIEN *s'avance ivre, puissant, méchant.*

Alors, c'est dit? On l'embarque pour l'Aigle Rose, le fils du peuple? Cette fois, moi je me sens en verve! Mon pied me démange. On n'aurait pas dû me le faire renifler, le Bitos. Il faut absolument que je tue du pauvre, ce soir. Je n'en peux plus de les entendre crier misère dès qu'ils ont fini leur saucisson! Je n'en peux plus depuis l'Antiquité! Depuis l'avènement du Christianisme! Mort aux faibles! Qu'on le crie enfin! Mort aux misérables! *(Il les prend par le bras l'œil allumé.)* Mes amis, confiez-moi Bitos à l'Aigle Rose. Je le monte, je l'excite. Nous avons une querelle personnelle à propos de Léa par exemple, qui est sûrement là-bas comme tous les soirs, et cette fois, je l'exécute. Comme à la récréation, autrefois. Et ce ne sera même pas une insulte à un magistrat, ce sera un règlement de comptes entre deux ivrognes, à propos d'une putain! Redonne-moi un peu de whisky.

MAXIME

Tu es ivre, Julien.

JULIEN, *se servant.*

Pas tout à fait encore assez, mais dans deux verres, je serai au point.

VICTOIRE *va à Maxime.*

Maxime, je crois que, cette fois, il faut que je rentre. Je ne vous suivrai pas là-bas.

MAXIME *lui baise gentiment la main.*

Vous avez raison, mon petit ange. Là-bas, cela va sûrement devenir ignoble. Je vous déposerai en passant.

VULTURNE, *qui s'est approché.*

Je vais rentrer aussi, Maxime. Je déposerai Victoire.

MAXIME *sourit, dur.*

Je m'en doutais. Aux courses de taureaux, non

plus, je n'ai jamais pu te décider à rester jusqu'à la fin. Et tu es le seul noblaillon de ce pays qui boude les chasses à courre de ma tante où il y a tant de gens qui se feraient damner pour aller.

VULTURNE, *doucement.*

Je n'aime pas voir tuer. Un coup de fusil en plein vol, passe encore. Mais regarder la bête forcée qui attend, tous en rond, en habit rouge, non.

MAXIME *éclate de rire.*

Monsieur le comte de Verdreuil, il y a dû avoir une petite interruption dans votre race! Quelque jeune instituteur sentimental et une grand-mère qui s'ennuyait — pendant les chasses, précisément...

VERDREUIL *sourit et, doucement, remontant.*

Je vais t'étonner. Je le souhaite quelquefois...

BITOS *reparaît très en forme,*
il crie du haut de l'escalier.

Voilà, mes chers amis! Le paysan du Danube est reparti. Pauvre garçon, il était venu avec son apprenti, tous deux armés jusqu'aux dents et prêts à me sauver la vie... *(Il pouffe.)* C'est qu'il ne voulait pas s'en retourner. C'était impayable! Il n'arrêtait pas de répéter : « Mais vous êtes sûr que vous ne risquez rien, monsieur Bitos? »

Il s'esclaffe, ignoble.

BRASSAC *lui tapant sur l'épaule*
et lui tendant un cigare.

Tout au plus, une forte cuite! *(Bas, à son oreille :)* Ou une aventure. Vous savez qu'elle vous a sérieusement remarqué, la petite Amanda. Et je m'y connais! Maxime n'a qu'à bien se tenir.

BITOS, *décidément très clubman,*
tirant sur son énorme cigare.

Femme facile?

BRASSAC

Quand on lui plaît!

BITOS *lui tapant sur l'épaule, ironique.*

Il y en a donc dans votre monde?

BRASSAC, *même jeu, complice.*

Pour ceux qui savent les prendre comme vous, farceur, il y en a partout!

MAXIME

Allons, mes amis, vite! Nous allons prendre les quatre voitures. *(Il appelle :)* Charles! Les vestiaires!

CHARLES, *affolé.*

Tout le monde s'en va encore en même temps?

MAXIME, *riant.*

Tout le monde! Faites vite, mon vieux!

CHARLES, *navré.*

Et le dîner? J'avais tout gardé au chaud.

MAXIME, *passant son manteau.*

Mangez-le, tous les deux. Faites-vous-en crever!

CHARLES *va appeler à la cuisine.*

Joseph, au secours! Apporte tous les vestiaires! Ils repartent tous ensemble, encore une fois.

On passe les vestiaires, on monte l'escalier, quelqu'un a ouvert la porte là-haut et regarde le temps.

QUELQU'UN, *de là-haut.*

Le temps s'est levé. Il fait maintenant une nuit superbe. Un vrai clair de lune de comédie...

BITOS, *qui après s'être remis en Robespierre, aide galamment Amanda à s'habiller.*

Vive la nuit, petite madame! C'est curieux, je n'ai

pas l'habitude de veiller et je m'aperçois que, la nuit, la vie n'est pas la même. Tout semble plus facile. J'ai méconnu la nuit... Passez, mesdames...

Il va monter dans les derniers, il devient soucieux, porte soudain la main sous son pardessus et appelle discrètement Maxime, pendant que les autres sortent.

BITOS

Mon cher Maxime, un accident stupide. C'est très ennuyeux car ce costume m'avait été prêté par le théâtre municipal... Je ne sais pas quels efforts j'ai pu faire... Je crois bien que j'ai craqué le fond de ma culotte... *(Voyant qu'ils sont seuls, il porte la main à son derrière et constate :)* Oui, c'est bien ça. C'est absurde. Je ne vais pas pouvoir aller avec vous, là-bas...

MAXIME

Y pensez-vous? Charles va trouver du fil et une aiguille chez la gardienne et il va vous réparer ça très bien. Charles! Voulez-vous rendre à monsieur Bitos le petit service qu'il va vous demander. Il y a certainement du fil et des aiguilles chez la mère Julia?

CHARLES

Certainement, monsieur Maxime.

MAXIME

Il s'agit de recoudre le fond de culotte de monsieur Bitos qui a craqué. Discrètement, je compte sur vous.

CHARLES

Je ferai de mon mieux, monsieur Maxime.

Il sort rapidement.

MAXIME

Nous allons vous attendre dans les voitures, Bitos. Encore un peu de whisky pour supporter l'opération?

BITOS *minaude.*

J'exagère ce soir, j'exagère. Tout cet alcool, ce cigare...

MAXIME, *grave soudain, on ne sait pourquoi.*

Il y a certaines nuits où, si loin qu'on aille, on n'exagère pas. Faites vite, Charles.

Il est sorti. Bitos reste seul avec Charles.

CHARLES, *à Maxime qui sort.*

Aussi vite que je pourrai, monsieur! *(A Bitos.)* Si Monsieur voulait avoir la bonté de retirer son pardessus, ça serait plus commode.

Bitos a retiré son manteau. Il est debout, au milieu de la scène, en Robespierre, fumant son cigare. Charles, accroupi derrière lui, lui coud les fesses.

BITOS

Je suis très ennuyé pour ce costume. Je l'avais emprunté au théâtre municipal... Ils m'ont d'ailleurs fait verser un dépôt très exagéré. *(Un petit temps, il ajoute, inquiet :)* Je me demande bien s'ils vont me le rendre?

CHARLES, *sceptique.*

Évidemment, avec la couture... Monsieur pourra toujours leur faire remarquer que le fond était très mûr.

BITOS

En fait, ils m'ont filouté! Une vieille pelure et ils m'ont loué ça un prix exorbitant. Mais il m'allait bien, n'est-ce pas?

CHARLES, *poli.*

Monsieur avait beaucoup d'allure, là-dedans. *(Il ajoute :)* Que Monsieur m'excuse, mais si Monsieur voulait me tendre le postérieur de Monsieur, cela me serait plus facile pour coudre.

BITOS, *tendant son derrière.*

Comme ça?

CHARLES

Merci, monsieur. Exactement comme ça. L'étoffe se trouve en quelque sorte soutenue, monsieur...

Victoire qui était sortie avec les autres, paraît soudain en haut des marches, et demande interdite :

VICTOIRE

Mais... qu'est-ce que vous faites, monsieur Bitos?

BITOS *se dresse épouvanté, la main au derrière.*

Mademoiselle de Brèmes!... C'est indigne!... Je... J'avais demandé un petit service au valet de chambre de monsieur de Jaucourt... Un accident stupide... J'ai craqué le fond de ma culotte. C'est indigne de m'avoir espionné pour vous moquer de moi!

VICTOIRE, *doucement.*

Je voulais vous parler, monsieur Bitos...

BITOS, *qui se tiendra la fesse pendant toute la scène.*

Après ce qui s'est passé cet après-midi chez votre père, nous n'avons plus rien à nous dire, mademoiselle! D'ailleurs, vous auriez pu me parler là-bas! Vos amis nous attendent.

VICTOIRE

Je ne vais pas là-bas. Et j'aurais voulu vous parler sans eux. *(A Charles.)* Charles, voulez-vous nous laisser deux minutes? Ce que j'ai à dire à monsieur Bitos sera très vite dit et vous pourrez venir achever votre petite réparation.

CHARLES

Bien, mademoiselle. Mademoiselle me rappellera.

Il sort.

Bitos est tout raide, immobile, la main au

derrière sans la regarder. Victoire est tout à fait descendue. Un avertisseur les appelle là-haut, puis se tait.

VICTOIRE, *soudain doucement.*

Il ne faut pas aller là-bas avec eux, monsieur Bitos.

BITOS, *agressif.*

Cela vous regarde?

VICTOIRE, *doucement.*

Oui. *(Il y a un petit temps, elle ajoute :)* Ils sont en train de se moquer de vous encore!

BITOS, *agressif encore, sans oser croiser son regard.*

Je ne suis pas assez grand pour le voir tout seul, si cela est?

VICTOIRE, *avec l'ombre d'un sourire.*

Non. Je ne le crois pas.

BITOS *aboie soudain.*

Vous me prenez pour un imbécile, pour un jobard?

VICTOIRE, *gravement.*

Je ne vous aime pas, monsieur Bitos et c'est pourquoi la demande que vous avez cru pouvoir faire cet après-midi à mon père était de toute façon irrecevable...

BITOS

Votre père m'a jeté dehors comme un voleur!

VICTOIRE, *doucement.*

Je vous demande pardon de ce qu'a fait mon père... Si vous m'aviez parlé à moi, je vous aurais simplement fait comprendre que vous vous étiez trompé et que je ne pouvais pas vous aimer... Pour des raisons de fille qui n'ont rien à voir avec ce que vous êtes dans le monde... *(Elle sourit gentiment.)* Vous savez, il y en a eu beaucoup de filles qui ne croyaient pas pouvoir devenir la femme d'un garçon et qui le lui ont dit et il y en aura encore beaucoup... ce sont des petites blessures qui s'oublient... *(Elle continue, plus grave :)* N'allez pas avec eux, ce soir, monsieur Bitos. Ils vont vous faire d'autres blessures dont vous ne guérirez pas aussi facilement. C'est pour s'amuser de vous qu'ils vous emmènent.

BITOS *ricane, serré.*

Suis-je donc si drôle?

L'avertisseur appelle encore là-haut.

VICTOIRE

Il faut me croire vite, monsieur Bitos, nous avons très peu de temps. Ils ne vous ont flatté que pour vous perdre. Ce que vous propose Brassac, ce n'est probablement qu'un jeu pour vous faire faire une imprudence; mais même si cela était vrai, ce serait indigne.

BITOS, *après un temps, sourdement.*

Qu'en savez-vous?

VICTOIRE *reprend doucement.*

Je ne vous aime pas, monsieur Bitos. Je ne pourrai jamais aimer un homme comme vous... Mais je crois qu'il y a une sorte de courage et de rigueur vrais, en vous... N'allez pas dans cette boîte de nuit avec eux boire, encore... *(Elle sourit gentiment.)* D'abord, vous ne savez pas boire...

BITOS, *ricaneur et ironique,*
tirant sur son havane.

Vraiment?

Il a malheureusement un hoquet au même moment, il jette son cigare qui l'écœure, vexé.

VICTOIRE *continue gentiment.*

N'allez pas avec eux vous faire moquer de vous, faire des ronds de jambe, que vous réussissez très mal, chez Lila. Restez vous-même. Restez pauvre. *(Il y a un petit temps, elle ajoute :)* La seule chose de vous que j'aurais pu aimer, si j'avais pu vous aimer, c'est précisément votre pauvreté. Mais c'est comme toutes les choses précieuses, c'est très fragile la pauvreté. Gardez la vôtre intacte, monsieur Bitos. Et n'oubliez jamais que sur vos armes, il y a les deux bras rouges de votre maman croisés.

Elle a refait, gentiment, le même petit geste étriqué qu'il a fait au premier acte en parlant de sa mère. Elle le regarde. Elle lui sourit. Bitos est tout pâle, il ne dit rien, effrayant, immobile; soudain, il lâche sa fesse, prend son petit pardessus noir, le passe rapidement, coiffe son melon, vite, le masque tendu. Les voitures ont commencé à klaxonner là-haut pour les appeler.

BITOS, *entre ses dents.*

C'est bien. Je vais sortir par la porte de la cuisine, *(Sur le seuil, il se retourne, relève son col, la regarde pâle de haine et murmure glacial :)* Je vous remercie, mademoiselle, de cette petite leçon. Vous m'avez, en effet, évité un faux pas... *(Il ajoute sourdement :)* Mais, si je peux me venger de vous tous, un jour c'est par vous que je commencerai.

Il est sorti. Elle n'a pas bougé. On entend encore les avertisseurs qui appellent là-haut, elle murmure.

VICTOIRE

Pauvre Bitos...

Et elle remonte rapidement. Le rideau tombe pendant qu'elle sort dans le bruit des avertisseurs qui ont repris tous ensemble cette fois.

FIN DE « PAUVRE BITOS »

DU MÊME AUTEUR

Aux Éditions de la Table Ronde.

L'ALOUETTE.
ANTIGONE.
ARDÈLE OU LA MARGUERITE.
BECKET OU L'HONNEUR DE DIEU.
CÉCILE OU L'ÉCOLE DES PÈRES.
LA FOIRE D'EMPOIGNE.
LA GROTTE.
L'HURLUBERLU OU LE RÉACTIONNAIRE AMOUREUX.
L'INVITATION AU CHÂTEAU.
MÉDÉE.
FABLES.
ORNIFLE OU LE COURANT D'AIR.
PAUVRE BITOS OU LE DÎNER DE TÊTES.
LE RENDEZ-VOUS DE SENLIS.
LA VALSE DES TORÉADORS.
LE BOULANGER, LA BOULANGÈRE ET LE PETIT MITRON.
CHER ANTOINE OU L'AMOUR RATÉ.
LES POISSONS ROUGES OU MON PÈRE, CE HÉROS.
NE RÉVEILLEZ PAS MADAME.
LE DIRECTEUR DE L'OPÉRA.
TU ÉTAIS SI GENTIL QUAND TU ÉTAIS PETIT.
MONSIEUR BARNETT suivi de L'ORCHESTRE.
L'ARRESTATION.
LE SCÉNARIO.
CHERS ZOISEAUX.
LA CULOTTE.

*

Pièces brillantes.
Pièces costumées.
Pièces grinçantes.
Nouvelles Pièces grinçantes.
Pièces noires.
Nouvelles Pièces noires.
Pièces roses.
Pièces baroques.
Pièces secrètes.

COLLECTION FOLIO

Dernières parutions

1691.	Pierre Mac Orlan	*Chronique des jours désespérés*, suivi de *Les voisins.*
1692.	Louis-Ferdinand Céline	*Mort à crédit.*
1693.	John Dos Passos	*La grosse galette.*
1694.	John Dos Passos	*42e parallèle.*
1695.	Anna Seghers	*La septième croix.*
1696.	René Barjavel	*La tempête.*
1697.	Daniel Boulanger	*Table d'hôte.*
1698.	Jocelyne François	*Les Amantes.*
1699.	Marguerite Duras	*Dix heures et demie du soir en été.*
1700.	Claude Roy	*Permis de séjour 1977-1982.*
1701.	James M. Cain	*Au-delà du déshonneur.*
1703.	Voltaire	*Lettres philosophiques.*
1704.	Pierre Bourgeade	*Les Serpents.*
1705.	Bertrand Poirot-Delpech	*L'été 36.*
1706.	André Stil	*Romansonge.*
1707.	Michel Tournier	*Gilles & Jeanne.*
1708.	Anthony West	*Héritage.*
1709.	Claude Brami	*La danse d'amour du vieux corbeau.*
1710.	Reiser	*Vive les vacances.*
1711.	Guy de Maupassant	*Le Horla.*
1712.	Jacques de Bourbon Busset	*Le Lion bat la campagne.*
1713.	René Depestre	*Alléluia pour une femme-jardin.*
1714.	Henry Miller	*Le cauchemar climatisé.*
1715.	Albert Memmi	*Le Scorpion ou La confession imaginaire.*

1750.	Louis Aragon	*Aurélien.*
1751.	Saul Bellow	*Herzog.*
1752.	Jean Giono	*Le bonheur fou.*
1753.	Daniel Boulanger	*Connaissez-vous Maronne?*
1754.	Leonardo Sciascia	*Les paroisses de Regalpetra,* suivi de *Mort de l'Inquisiteur.*
1755.	Sainte-Beuve	*Volupté.*
1756.	Jean Dutourd	*Le déjeuner du lundi.*
1757.	John Updike	*Trop loin.*
1758.	Paul Thorez	*Une voix, presque mienne.*
1759.	Françoise Sagan	*De guerre lasse.*
1760.	Casanova	*Histoire de ma vie.*
1761.	Didier Martin	*Le prince dénaturé.*
1762.	Félicien Marceau	*Appelez-moi Mademoiselle.*
1763.	James M. Cain	*Dette de cœur.*
1764.	Edmond Rostand	*L'Aiglon.*
1765.	Pierre Drieu la Rochelle	*Journal d'un homme trompé.*
1766.	Rachid Boudjedra	*Topographie idéale pour une agression caractérisée.*
1767.	Jerzy Andrzejewski	*Cendres et diamant.*
1768.	Michel Tournier	*Petites proses.*
1769.	Chateaubriand	*Vie de Rancé.*
1770.	Pierre Mac Orlan	*Les dés pipés ou Les aventures de Miss Fanny Hill.*
1771.	Angelo Rinaldi	*Les jardins du Consulat.*
1772.	François Weyergans	*Le Radeau de la Méduse.*
1773.	Erskine Caldwell	*Terre tragique.*
1774.	Jean Anouilh	*L'Arrestation.*
1775.	Thornton Wilder	*En voiture pour le ciel.*
1776.	***	*Le Roman de Renart.*
1777.	Sébastien Japrisot	*Adieu l'ami.*
1778.	Georges Brassens	*La mauvaise réputation.*
1779.	Robert Merle	*Un animal doué de raison.*
1780.	Maurice Pons	*Mademoiselle B.*

1781.	Sébastien Japrisot	*La course du lièvre à travers les champs.*
1782.	Simone de Beauvoir	*La force de l'âge.*
1783.	Paule Constant	*Balta.*
1784.	Jean-Denis Bredin	*Un coupable.*
1785.	Francis Iles	*...quant à la femme.*
1786.	Philippe Sollers	*Portrait du Joueur.*
1787.	Pascal Bruckner	*Monsieur Tac.*
1788.	Yukio Mishima	*Une soif d'amour.*
1789.	Aristophane	*Théâtre complet,* tome I.
1790.	Aristophane	*Théâtre complet,* tome II.
1791.	Thérèse de Saint-Phalle	*La chandelle.*
1792.	Françoise Mallet-Joris	*Le rire de Laura.*
1793.	Roger Peyrefitte	*La soutane rouge.*
1794.	Jorge Luis Borges	*Livre de préfaces,* suivi de *Essai d'autobiographie.*
1795.	Claude Roy	*Léone, et les siens.*
1796.	Yachar Kemal	*La légende des Mille taureaux.*
1797.	Romain Gary	*L'angoisse du roi Salomon.*
1798.	Georges Darien	*Le Voleur.*
1799.	Raymond Chandler	*Fais pas ta rosière!*
1800.	James Eastwood	*La femme à abattre.*
1801.	David Goodis	*La pêche aux avaros.*
1802.	Dashiell Hammett	*Le dixième indice* et autres enquêtes.
1803.	Chester Himes	*Imbroglio negro.*
1804.	William Irish	*J'ai épousé une ombre.*
1805.	Simone de Beauvoir	*La cérémonie des adieux,* suivi de *Entretiens avec Jean-Paul Sartre (août-septembre 1974).*
1806.	Sylvie Germain	*Le Livre des Nuits.*
1807.	Suzanne Prou	*Les amis de Monsieur Paul.*

1808.	John Dos Passos	*Aventures d'un jeune homme.*
1809.	Guy de Maupassant	*La Petite Roque.*
1810.	José Giovanni	*Le musher.*
1811.	Patrick Modiano	*De si braves garçons.*
1812.	Julio Cortázar	*Livre de Manuel.*
1813.	Robert Graves	*Moi, Claude.*
1814.	Chester Himes	*Couché dans le pain.*
1815.	J.-P. Manchette	*Ô dingos, ô châteaux! (Folle à tuer).*
1816.	Charles Williams	*Vivement dimanche!*
1817.	D.A.F. de Sade	*Les Crimes de l'amour.*
1818.	Annie Ernaux	*La femme gelée.*
1819.	Michel Rio	*Alizés.*
1820.	Mustapha Tlili	*Gloire des sables.*
1821.	Karen Blixen	*Nouveaux contes d'hiver.*
1822.	Pablo Neruda	*J'avoue que j'ai vécu.*

Cet ouvrage a été composé
et achevé d'imprimer par l'Imprimerie Floch
à Mayenne le 20 mars 1987.
Dépôt légal : mars 1987.
1er dépôt légal dans la même collection : décembre 1972.
Numéro d'imprimeur : 25354.

ISBN 2-07-036301-5 / Imprimé en France.